NAUFRAGÉS SUR CRÂNÎLE

PASSEPEUR

POUR UN HORRIBLE CAUCHEMAR

NAUFRAGÉS SUR CRÂNÎLE

Texte et illustrations
de
Richard Petit

Boomerang
Éditeur jeunesse

© 2004

2e impression : septembre 2005

Boomerang éditeur jeunesse remercie la SODEC pour
l'aide accordée à son programme éditorial.

ISBN : 2-89595-075-X
Imprimé au Canada
Dépôt légal : Bibliothèque nationale du Québec,
3e trimestre 2004
Dépôt légal : Bibliothèque et archives Canada,
3e trimestre 2004

Première édition © 2000 Les presses d'or
ISBN original : 1-55225-328-7

Boomerang éditeur jeunesse inc.
Québec (Canada)

Courriel : edition@boomerangjeunesse.com
Site Internet : www.boomerangjeunesse.com

Modèles numériques fournis par : Daz 3D, Renderosity, HandspanStudio,
ThorneWorks, Patrick A. Shields, TrekkieGrrrl, HIM666, Amber Jordan, Maya,
Laura Gilkey, 3dmodelz, Aya-Zoozi, Poism, Jen, Jaguarwoman, Uzilite, Nymesis,
Epken, HMG Designs, Quarker, Anton's FX, 3D Universe, Hankster, Gerald Day,
Palladium 17, HMann et plusieurs autres…

TOI!

Tu fais maintenant partie de la bande des
TÉMÉRAIRES DE L'HORREUR.

OUI ! Et c'est toi qui as le rôle principal dans ce livre où tu auras bien plus à faire que de tout simplement... LIRE. En effet, tu devras déterminer toi-même le dénouement de l'histoire en choisissant les numéros des chapitres suggérés afin, peut-être, d'éviter de basculer dans des pièges terribles ou de rencontrer des monstres horrifiants.

Aussi, au cours de ton aventure, lorsque tu feras face à certains dangers, tu auras à jouer au jeu des **PAGES DU DESTIN...** Par exemple, si dans ton aventure tu es poursuivi par une espèce de monstre dangereux et qu'il t'est demandé de TOURNER LES PAGES DU DESTIN afin de savoir si ce monstre va t'attraper, la première chose que tu dois tout de suite faire, c'est placer ton doigt tout tremblotant ou un signet à la page où tu es rendu pour ne pas perdre ta page, car tu auras à y revenir. Ensuite, SANS REGARDER, tu fais glisser ton pouce sur le côté de ton Passepeur en faisant tourner les feuilles rapidement pour finalement t'arrêter AU HASARD sur l'une d'elles.

Maintenant, regarde au bas de la page de droite. Il y a trois pictogrammes. Pour savoir si le monstre t'a attrapé, il n'y en a que deux qui te concernent, celui de l'espadrille et celui de la main.

Pour le moment, tu ne t'occupes pas des autres. Ils te serviront dans d'autres situations. Je t'explique tout un peu plus loin.

Comme tu as peut-être remarqué, sur une page il y a une espadrille, et sur la suivante, il y a une main et ainsi de suite, jusqu'à la fin du livre. Si, par chance, en tournant les pages du destin, tu t'arrêtes au hasard sur le pictogramme de l'espadrille, eh bien bravo ! tu as réussi à t'enfuir. Là, retourne au chapitre où tu étais rendu. Il t'indiquera le numéro de l'autre chapitre où tu dois aller pour fuir le monstre. Si tu es le moindrement malchanceux et que tu t'arrêtes sur le pictogramme de la main, eh bien, le monstre t'a attrapé. Là encore, tu reviens au chapitre où tu étais, mais tu auras par contre à te rendre au chapitre indiqué où tu tomberas entre les griffes du monstre.

Lorsqu'on te demandera de TOURNER LES PAGES DU DESTIN, tu n'utiliseras, selon le cas, que les DEUX pictogrammes qui concernent l'événement. Voici les autres pictogrammes et leur signification...

Pour déterminer si une porte est verrouillée ou non :

 si tu tombes sur ce pictogramme-ci, cela signifie qu'elle est verrouillée ;

 si tu t'arrêtes sur celui-ci, cela signifie qu'elle est déverrouillée.

S'il y a un monstre qui regarde dans ta direction :

 ce pictogramme veut dire qu'il t'a vu ;

 celui-ci veut dire qu'il ne t'a pas vu.

Qu'allez-vous faire, naufragés sur cette île maudite sans votre trousse des Téméraires ? Il vous faut trouver quelque chose pour vous défendre, sinon vous n'aurez pas la moindre chance de vous en sortir… VIVANTS ! Alors, comme vous êtes débrouillards et bricoleurs, vous ramassez quelques bouts de branches, une liane, et vous vous fabriquez un arc et des flèches. C'est parfait, mais cependant, pour atteindre la cible avec cet arc, tu auras à faire preuve d'une grande adresse au jeu des pages du destin. Comment ? C'est simple : regarde dans le bas des pages de gauche. Il y a un crâne à cornes, ton arc et une flèche.

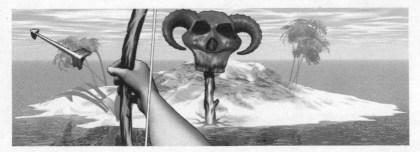

Plus tu t'approches du centre du livre, plus la flèche se rapproche du crâne. Lorsque dans ton aventure, tu fais face à un monstre et qu'il t'est demandé d'essayer de l'atteindre avec ton arc pour l'éliminer, il te suffit de tourner rapidement les pages de ton Passepeur. En ne regardant que le haut du livre, tu dois essayer de t'arrêter sur une des pages centrales. Si tu réussis à t'arrêter sur une des cinq pages du milieu du livre portant cette image,

eh bien, bravo ! Tu as visé juste et tu as réussi à atteindre de plein fouet le monstre qui vous faisait face dans ce chapitre. Tu n'as plus qu'à suivre les instructions au chapitre où tu étais, que tu aies réussi ou non à atteindre ton objectif.

Ta terrifiante aventure débute au chapitre 1. Et n'oublie pas : une seule fin te permet, à toi et tes amis, de ne pas rester pour toujours... *Naufragés sur Crânîle.*

1

« TOUS LES PASSAGERS SONT PRIÉS DE REVÊTIR LEUR VESTE DE SAUVETAGE ET DE SE RENDRE SUR LE PONT ! vous réveille brusquement le haut-parleur de votre cabine. JE RÉPÈTE... »

Tu lèves la tête...

« Quoi ? Qu'est-ce qui se passe ? demandes-tu, un peu perdu.

— Je n'en sais rien, te répond Jean-Christophe, lui aussi tout somnolent, sur la couchette d'en haut. Ne nous emballons pas ! C'est peut-être juste un exercice. »

Vous sautez de vos couchettes et réveillez vite Marjorie, qui dort toujours. C'est incroyable ! Elle n'a rien entendu.

« Marjorie ! Marjorie ! lui dis-tu en la secouant. Réveille-toi !

— Que... quoi ? fait-elle brusquement, les yeux tout brillants. Nous sommes arrivés ? À nous la plage, les coquillages... »

Elle arrête vite de jubiler lorsqu'elle constate que, derrière votre porte, des gens crient et courent dans la coursive. De grandes vagues viennent soudain frapper votre hublot et vous confirment, d'une façon terrifiante, que... LE NAVIRE COULE !

La croisière ne s'amuse plus ! Allez au chapitre 46.

2

Ta flèche atteint le crocodile, mais ricoche sur son dos recouvert d'écailles. Effrayé, il disparaît sous l'eau, dans un grand remous. Vous l'avez échappé belle.

Sur ton front perlent des gouttes de sueur. Tu t'essuies avec la manche de ton t-shirt ; il fait si chaud. Plus chaud qu'en Floride même.

Ah ! La Floride, te mets-tu à penser. La plage, les parcs d'attractions thématiques. Quelles vacances ! À comparer, tu aimes autant la Floride que tu détestes Crânîle, parce que là-bas, contrairement à ici, les monstres et les bêtes des manèges ne risquent pas de te sauter dessus et te manger tout rond.

Tu suis Marjorie et Jean-Christophe qui arrivent au pied du grand rocher à la forme de crâne, niché tout à fait à l'extrémité de la jungle. Ton cœur se serre lorsque tu lèves la tête vers le sommet. À première vue, vous avez au moins une centaine de mètres à gravir. Pas le temps de faire des niaiseries. Si vous voulez l'atteindre avant le coucher du soleil, il faut que vous y alliez tout de suite.

Tu poses le pied dans une fissure et tu entames son ascension. Le vent se fait de plus en plus cinglant et rend votre progression difficile.

Vous parvenez quand même à atteindre le sommet du rocher au chapitre 55.

3

C'est en nageant comme des athlètes aux Jeux olympiques que vous parvenez à atteindre, sains et saufs, le navire. Là, vous contournez rapidement la coque et gravissez le grand mât couché à tribord, pour enfin vous hisser jusqu'au gaillard d'avant. Debout, sur le pont de bois pourri qui peut céder à tout instant, vous reprenez votre souffle en faisant l'inventaire de vos membres. Deux bras et autant de jambes… TOUT Y EST !

Affaissé sur la barre du gouvernail, il y a le squelette au bandeau noir d'un pirate borgne. Il donne un aspect encore plus morbide au décor. Sa main osseuse est refermée sur quelque chose de brillant. Tu t'en approches et oses lui extirper l'objet d'entre les doigts… C'EST UN DOUBLON D'OR !

Avec cette seule pièce, tu peux te payer la *boum box* de tes rêves. Double cassette, lecteur de DC et syntonisation numérique, le haut de gamme, quoi… L'index de l'autre main du pirate semble pointer vers la cale du navire. Ce squelette est-il le X manquant de votre carte indiquant l'endroit précis où se trouve le trésor ou pointe-t-il dans cette direction pour vous prévenir d'un grand danger ? Il n'y a qu'une seule façon de le savoir…

Descendez à l'entrepont au chapitre 94.

4

Regarde bien cette carte et rends-toi au chapitre inscrit sur la partie de l'île que vous voulez explorer...

5

Vous traversez une brousse dense d'arbres gigantesques. Des lianes pendent et traversent d'un arbre à l'autre. Un caméléon, de la couleur d'une slush vert limette, rampe sur une branche. C'est toute une différence avec les écureuils de Sombreville. Une multitude d'ossements de petits mammifères éparpillés entre les arbres vous rappellent que cet endroit, aussi féerique qu'il puisse paraître, peut cacher de grands dangers.

Mieux vaut être préparés. Avec un long bout de bambou flexible et une petite liane, tu confectionnes un arc. Jean-Christophe, lui, casse quelques petites branches et frotte le bout sur un rocher pour les affiler. Voilà d'excellentes flèches. Vous avez à peine terminé de bricoler votre arme que surgit devant vous, grognant et gesticulant, votre premier trophée de chasse… UN GORILLE À TÊTE DE MOUCHE !

NON ! Ce n'est pas le moment de vous poser des questions sur cette horreur. Tu le mets tout de suite en joue avec ton arc. Vas-tu réussir à l'atteindre ? Pour le savoir…

… TOURNE LES PAGES DU DESTIN.

Si ta flèche l'atteint de plein fouet, va au chapitre 39.
Si, par contre, tu l'as raté, rends-toi au chapitre 59.

6

Ta flèche perce la surface de l'eau et va se planter au fond du lac. Dans les fêtes foraines, il y a des jeux où, lorsque tu atteins un objectif, tu remportes un gros toutou en peluche. Ici, sur Crânîle, c'est le contraire. Tu rates ta cible... TU HÉRITES D'UN CROCODILE !

Le gros reptile fonce vers toi en faisant claquer ses mâchoires proéminentes garnies d'incisives.

CLAC ! CLAC !

Tu tournes les talons et tu fonces vers un arbre, car tu sais que ces dangereux reptiles ne peuvent pas grimper. Pour une fois, la chance est avec vous, car une échelle est clouée au tronc. Vous escamotez l'échelle jusqu'à une cabane abandonnée, juchée en haut du grand bananier.

En bas, le crocodile marche sur ses propres traces. Il va attendre longtemps, car vous avez de quoi vous nourrir. Des dizaines de bananes sont suspendues en dessous des grandes feuilles.

« OUAIS ! Mais, elles sont roses ces bananes, te fait remarquer Marjorie. J'crois pas que l'on devrait y toucher. »

Tu en pèles une au chapitre 75 et tu découvres à l'intérieur...

7

Vous avez beau essayer de la forcer, mais il n'y a rien à faire. Vous rebroussez chemin et regagnez la surface par la souche de l'arbre abattu. La tempête se calme et vous permet de regagner enfin le haut du rocher en forme de tête de mort. De la fumée s'échappe des deux grands trous qui forment les yeux du crâne. Au moment où vous vous penchez pour regarder, une flopée de chauves-souris monstrueuses sort de l'obscurité et s'envole, d'une façon désordonnée, loin de l'île.

Des chauves-souris qui sortent en plein jour ? Tout ça ne présage rien de bon. Il ne faut pas rester ici ! Pendant que vous descendez le flanc du rocher, une violente explosion secoue la croûte terrestre **BRAOOUUUM !** et du magma jaillit des deux orbites du crâne. C'est une double éruption volcanique !

Vous vous accrochez, tant bien que mal, aux pierres qui deviennent instables. La lave coule jusqu'au pied du rocher et devient une rivière tumultueuse qui semble vous poursuivre sur toute l'île. Vous essayez de lui échapper, mais elle réussit à vous encercler. Autour de vous, ça commence à chauffer, car le cercle de lave rétrécit, rétrécit, et **PSSSSSHHHHHH !**

FIN

8

Vous courez comme des malades en direction de la jungle. Devant vous vient s'écraser un satellite radar. **BRAOUM!** La puissance magnétique de la météorite a décuplé et attire même les objets de métal de l'espace.

Vous essayez de contourner les débris fumants qui vous bloquent le chemin. Des broussailles s'enflamment, et le feu se propage aux palmiers. Un autre satellite s'écrase sur le sable et effraie les fantômes qui, apeurés, regagnent leur sous-marin. De l'océan surgissent des dizaines d'épaves de navires coulés. Leurs silhouettes lugubres recouvertes d'algues et de coraux avancent inexorablement vers la météorite, qui rougeoie comme si elle était chauffée à vif.

Le feu gagne la jungle. Sur la plage, c'est une pluie d'objets de métal de toutes sortes qui tombe. Il faudrait un miracle pour faire cesser ce cataclysme.

Voilà que la mer s'agite. Des gros nuages noirs font leur apparition. Le tonnerre gronde, et une pluie torrentielle se met à tomber. L'eau réussit à s'infiltrer jusqu'à la météorite qui, cachée sous des tonnes de pièces de métal, perd lentement sa force magnétique.

Le soleil se pointe entre les nuages et vous guide vers le chapitre 4.

9

L'un après l'autre, vous franchissez timidement la porte d'eau. De l'autre côté, vous vous retrouvez en plein océan. Un banc de petits poissons fuit de tous les côtés ; vous les avez effrayés. Au-dessus de votre tête, un requin sillonne la surface ; pas question de sortir de l'eau par là. C'est vous qui avez peur maintenant ! Éloignez-vous au plus vite…

Vous nagez, en contournant de grands récifs. Entre les longues algues vertes, des barracudas, qui attendaient que passe une proie, viennent de vous apercevoir. Ils donnent des grands coups de nageoires, et se lancent à votre poursuite. Vous filez vite vers une grotte sous-marine. En nageant à l'intérieur, vous découvrez une galerie remplie d'air. Vous sortez rapidement de l'eau. Les mâchoires dentées des barracudas claquent dans le vide à la surface. Ouf ! Vous l'avez échappé belle !

Le dos courbé, vous marchez pendant de longues minutes. La galerie prend soudain une pente qui va en montant vers la surface.

Tu sors la tête. Autour de toi… DE LA NEIGE TOMBE…

… au chapitre 82.

10

Sur une grosse poutre du navire, un sabre de pirate est planté dans un vieux papier écrit à la plume rouge. Tu t'approches pour lire :

« LA MORT S'EN VIENT ! »

Tu lèves les épaules, pas du tout impressionné, car toi, tu n'es pas du genre à croire à ces histoires d'horoscope ou de prédictions de l'avenir. C'est comme les petits biscuits que l'on vous sert au resto chinois : ce qui est écrit sur le petit papier, ça ne se produit jamais.

Au moment où tu te diriges vers un escalier, tu sens quelque chose qui te pique entre les deux omoplates. Lentement, tu te retournes et découvres que le sabre flotte en l'air et pointe directement ton cœur. Est-ce un fantôme de pirate qui le tient ?

Tu fais un bond en arrière, le sabre avance. Jean-Christophe fait de grands signes avec ses bras pour attirer le sabre vers lui, mais c'est après toi qu'il en a. Le sabre fonce ! Tu plonges, juste à la dernière fraction de seconde. Le sabre va se planter dans un baril, CHRAAAC! Du rhum se répand vite partout sur le plancher et rend les vieilles planches très glissantes.

Vous patinez jusqu'à l'escalier, au chapitre 105.

11

Cette jungle, où grouillent en masse fauves affamés et serpents venimeux, est très dangereuse. Alors, avec un long bout de bambou flexible, une petite liane et quelques branches, vous confectionnez un arc et des flèches que vous prenez soin de bien aiguiser sur une roche.

En jetant des regards inquiets tout autour, vous vous enfoncez entre les palmiers et les arbres géants aux racines tortueuses. Des cris enchanteurs d'oiseaux exotiques te parviennent de tous les côtés, si bien que tu te croirais dans une salle de cinéma. Vous continuez à avancer, toujours sur le qui-vive.

Plus loin, vous devez contourner un petit lac noir. Il est transpercé par la végétation et par… DES YEUX DE CROCODILE !

Pour ne pas te faire remarquer, tu restes immobile. Mais c'est peine perdue. Le croco t'a vu et il avance vers toi… Tu charges ton arc et tu pointes dans sa direction. Vas-tu réussir à l'atteindre ? Pour le savoir…

… TOURNE LES PAGES DU DESTIN et vise bien.

Si tu réussis à l'atteindre, rends-toi au chapitre 2.
Par contre, si tu l'as raté, va au chapitre 6.

12

Il fonce tout galopant vers un autre palmier et plante sa longue défense dans le tronc. Le grand arbre craque en deux et tombe par terre, **BROUUUM !** soulevant des nuages de poussière. L'énorme bête pousse un grognement terrible qui te glace le sang.

« Ce rhinocéros a l'air pas mal en colère, dit Jean-Christophe. Vaudrait mieux l'éviter. »

Tu attrapes Marjorie par le collet, et vous rebroussez chemin en zigzaguant entre les arbres, en vous cachant derrière chacun d'eux quelques secondes. Derrière vous, le rhinocéros cherche un autre palmier. Vous courez à toutes jambes en ligne droite, pour filer au plus vite. Le furieux rhinocéros s'arrête subitement et regarde de tous les côtés. Va-t-il vous apercevoir ? Pour le savoir…

… TOURNE LES PAGES DU DESTIN.

S'il vous a vus, allez tout droit au chapitre 63.

Si, au contraire, il ne vous a pas aperçus, fuyez au chapitre 80.

13

Si le trésor que vous cherchez se trouve ici, il ne peut être caché qu'au sous-sol, si toutefois ce temple en possède un…

Vous scrutez méticuleusement les dalles de marbre qui forment le plancher. Leurs contours sinueux te rappellent beaucoup les pièces d'un casse-tête. Vous faites le tour très vite, et remarquez qu'il manque une dalle, celle qui est juste devant le drôle de petit bâtiment de pierre, érigé au milieu du temple, et qui ne possède pas… DE PORTE !

Allez au chapitre 20.

14

Vous contournez, tant bien que mal, le grand rocher où viennent se briser les grandes vagues bleues de l'océan. Des éboulis de gros cailloux tombent continuellement du flanc. Le coin est pas mal risqué !

Un peu plus loin, il y a la jungle. Elle paraît tout aussi dangereuse. C'est peut-être parfait pour quelqu'un qui a comme activité préférée le bousillage de monstres, sauf que là, à cause du naufrage, vous vous retrouvez avec absolument rien pour vous défendre.

Alors, avec un long bout de bambou flexible et une petite liane, tu confectionnes un arc. Jean-Christophe, lui, casse quelques branches et frotte le bout sur un rocher pour les affiler. Voilà d'excellentes flèches. Vous êtes maintenant armés…

OUPS ! Devant vous, une dizaine de hyènes finissent de bouffer la carcasse d'une antilope. Vous n'avez pas assez de flèches pour les exterminer toutes. Vous essayez donc de les contourner. Est-ce que ces carnassiers toujours affamés vont remarquer votre présence ? Pour le savoir…

… TOURNE LES PAGES DU DESTIN.

S'ils vous ont vus, allez tout droit au chapitre 86.
S'ils ne vous ont pas vus, allez au chapitre 31.

15

« Oh non ! » hoquettes-tu, la tête hors de l'eau.

Tu te contorsionnes pour essayer d'éviter ses tentacules, mais c'est inutile. La créature transparente vous attrape tous les trois et vous entraîne jusqu'à l'entrée de sa grotte sous-marine.

À l'intérieur, il y a de l'air ! Vous vous levez, mais **TOC !** ta tête frappe le plafond. « AÏE ! » Vous restez quelques secondes immobiles, attendant la suite.

« La créature ne semble plus être dans les parages, dit Jean-Christophe, en regardant dans l'eau.

— Comment peux-tu en être certain ? lui demande Marjorie. Une créature faite d'eau dans l'eau, ça ne se voit pas… »

À demi accroupis, vous avancez profondément dans la grotte. Un mur de vieilles planches pourries vous barre la route. Vous l'enfoncez facilement pour découvrir, de l'autre côté… LA CALE DU NAVIRE ÉCHOUÉ !

Des barils de poudre et de rhum, des sacs remplis de victuailles toutes moisies, mais pas de trésor en vue…

Montez à bord au chapitre 10.

16

Au fond du hall, entre deux colonnes construites avec des vertèbres de baleine, il y a trois portes d'eau agitée, qui, étrangement, se tiennent à la verticale. Vous décidez de plonger dans l'une d'elles.

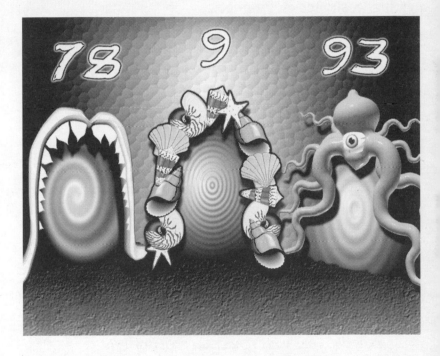

Prenez une très grande inspiration et rendez-vous au chapitre inscrit au-dessus de la porte que vous aurez choisie...

17

« CMJD, Sombreville ! » répond-elle à Grogro, avec un trémolo dans la voix.

Autour de vous, cachés derrière le décor, des caméramans surgissent ici et là. Les grandes portes s'ouvrent, et une équipe entière de production cinématographique entre dans l'arène, sous les applaudissements des enfants acteurs, costumés en Pygmées.

« Nous avions des caméras cachées dans toute l'île, vous dit le producteur affublé d'un chapeau de paille. Nous avons suivi votre progression depuis le début de l'histoire. Vous avez été sensationnels. Bravo aux premiers gagnants du concours "Vivez l'aventure avec CMJD !" »

— QUOI ! fais-tu, complètement ahuri. Rien de tout cela n'était vrai ?

— Rien n'est réel ! t'explique le producteur. Le paquebot qui coule ? Des effets spéciaux, mes amis. Les animaux mutants de l'île sont tous *animatroniques*. Même Grogro n'est qu'un robot contrôlé par un marionnettiste de l'électronique qui, au lieu de tirer des ficelles, fait bouger Grogro avec un système de téléguidage électronique très sophistiqué.

Abasourdis, vous vous rendez au chapitre 108.

18

La porte s'ouvre, et vous découvrez derrière elle… UN COFFRE ! Serait-il possible que vous ayez déjà trouvé le trésor ? Peut-être bien, car comme les légendes anciennes racontent, les gnomes sont souvent gardiens de richesses. Tu t'approches lentement, et lorsque tu veux mettre la main sur le coffre, il glisse sur le côté. Tu essaies à nouveau, et le coffre roule sur lui-même et s'éloigne de toi, comme par enchantement. Dans toute la grotte, tu cours après lui sous les échos des ricanements qui proviennent de partout autour de vous.

Il y a quelqu'un qui veut définitivement jouer au plus fin avec toi. Mais il ne sait pas que personne ne se moque des Téméraires.

En sifflant, tu fais semblant de rien et tu te mets à tourner autour du coffre, qui demeure immobile. Et ensuite, avec une foudroyante rapidité, tu fais semblant de plonger vers la gauche, mais tu fais plutôt un pas vers la droite. Le coffre glisse… ET TE TOMBE ENTRE LES MAINS ! Les rires moqueurs se transforment en pleurs, mais ça ne te touche pas le moins du monde. Vous ouvrez le coffre et découvrez qu'il n'y a pas un rond à l'intérieur, mais une note qui dit : « Trouvez le rocher, trouvez le trésor ! »

Fiers de ce renseignement, vous retournez tous les trois au chapitre 4 pour choisir une autre voie.

19

« IUQ SETÊ SUOV ? » vous dit-il sur un ton assez raide.

Vous vous regardez tous les trois. Ce que vous dit cet empereur des profondeurs est incompréhensible… PARCE QUE VOUS N'ÊTES PAS AU FOND DE L'EAU !

SOUDAIN, TU AS UNE IDÉE !

Tu t'approches d'une grande huître ouverte, remplie d'eau. Deux de ses gardes t'arrêtent sous la menace de leurs lances garnies aux extrémités d'épines d'oursins longues et pointues. Tu montres l'eau à l'empereur et tu fais bouger tes doigts et ton pouce pour imiter une bouche qui parle. Il comprend vite que c'est la seule façon que vous avez de communiquer avec lui. Il frappe avec autorité sur le plancher avec son sceptre. Ses deux gardes retirent leurs lances de sous ta gorge.

Tu plonges tout de suite la tête sous l'eau… Que vas-tu dire à l'empereur ?

« SUON SEMMOS SUNEV NE SIMA ! » Dans ce cas, va au chapitre 77.

Tu veux plutôt lui dire : « IA'J ENU EIVNE ELLOF ED NOSSIOP ! » Rends-toi alors au chapitre 45.

20

Pour pénétrer dans cette petite construction, il faut insérer la dalle manquante dans la cavité. Ce dernier morceau de casse-tête actionnera un mécanisme qui ouvrira la porte cachée. Vous cherchez dans tout le temple et trouvez deux dalles sur un tas de débris.

Observez bien les contours des deux dalles. Puis, rendez-vous au chapitre inscrit près de la dalle que vous croyez qui s'insérera parfaitement dans la cavité devant le petit bâtiment.

21

Vous contournez le rocher pour vous engager vers le nord, comme la carte l'indique. C'est à cet endroit que la tour, en forme de coquillage, pointe vers le ciel. La jungle est si dense que vous voyez à peine trois mètres devant vous. Vous êtes sur les nerfs, car lorsque ce ne sont pas des lianes qui pendent des arbres géants, ce sont des serpents. Les feuilles de certains arbres sont aussi grandes que des draps.

« Je plains celui qui doit ramasser ces feuilles à l'automne, dit Marjorie en levant les yeux vers la cime des arbres.

— IDIOTE ! lui dit son frère. Ici, les feuilles ne tombent pas à l'automne.

— Tant mieux pour les indigènes dans ce cas », fait-elle, en poursuivant sa route.

Tu regardes Jean-Christophe avec un sourire en coin. On ne s'ennuie jamais avec Marjorie et ses commentaires *bizarro-loufoques*. Toujours le mot pour faire rire. Même dans les pires situations.

Plus loin, vous devez vous arrêter, car devant vous, un rhinocéros vient d'abattre un arbre, CRAAAAC !

Cachez-vous vite au chapitre 12.

22

Vous poussez la lourde porte qui s'ouvre en grinçant lugubrement.

CRRRRIIIIII !

« PARFAIT ! vous dit Jean-Christophe, qui entend le bruit des vagues à l'autre bout de la galerie. Aidez-moi ! Nous allons faire rouler la météorite jusqu'à la mer. Une fois dans l'eau, elle va perdre toute sa force magnétique, et nous allons pouvoir ramasser les pièces et les bijoux aussi facilement que des coquillages sur le bord de la mer. »

Le dos appuyé à la météorite, vous poussez de toutes vos forces. Le gros caillou rond roule quelques mètres, lentement, et prend soudain de la vitesse. Dans la galerie, il roule comme une boule de quilles, et va si vite que vous le perdez de vue. Vous arrivez finalement sur la plage. Le soleil est aveuglant. Où est cette foutue météorite ? Est-elle enfoncée dans la mer ? Vous suivez sa trace dans le sable. Ouf ! La voilà. Elle est coincée dans un récif.

Au moment où vous vous en approchez, un terrifiant grondement survient. Ça semble venir des profondeurs de la mer. C'est peut-être un monstre marin ou quelque chose du genre. Vous ne pouvez pas faire autre chose que reculer, lorsque soudain, apparaît à la surface de l'eau… LE NEZ D'UN SOUS-MARIN !

Allez au chapitre 104.

23

Vous parvenez à atteindre l'escalier. En bas, des grattements inquiétants se font entendre. Ne songeant qu'au trésor, vous descendez toujours, sans évaluer la situation.

QUELLE ERREUR ! Un gros crabe arrive vers vous. Vous essayez de remonter, mais tout l'escalier s'écroule. BRAAAM ! Tu te relèves et attrapes une planche pour te défendre. Marjorie danse sur un pied, car le crabe s'est accroché à son espadrille.

« Ne te fais pas de sushis, OUPS ! de soucis, te reprends-tu. Je vais t'en débarrasser. »

Tu frappes le crustacé. CLAC ! et tu l'envoies faire un vol plané au fond de la cale. Le danger écarté, vous fouillez la cale. QUEL BAZAR ! Les barils de rhum et la marchandise qui s'y trouvent ont connu des jours meilleurs : ils dégagent une odeur épouvantable. Des tas de mouches survolent ces aliments infects et s'en régalent. Tu évites de toucher quoi que ce soit, de peur d'être affligé par la maladie du corsaire, qui fait jaillir des pustules vertes sur tout le corps.

Avec précaution, vous poursuivez l'exploration de la cale au chapitre 48.

De la plus grande hutte de paille, ornée de diverses têtes d'animaux réduits, apparaît un Pygmée grassouillet avec un os planté dans le nez. Il est tout aussi petit que les autres, mais sur la tête, il porte une espèce de couronne d'or et de plumes. C'est sans doute le grand chef sorcier. Il s'approche de vous et, d'un air très menaçant, vous dit :

« GROGRO !

— Non ! Ça ne va pas recommencer ! » fait alors Marjorie en levant les yeux au ciel.

Toi aussi, tu en as assez. Tu regardes le petit bonhomme et tu lui réponds : « Grogro », en lui faisant un signe d'approbation de la tête.

Autour de vous, les autres Pygmées hurlent et se réjouissent :

« HASTA LA VISTA… GROGRO ! »

Tu as déjà entendu cette phrase dans un film, mais tu ne sais pas trop ce qu'elle signifie pour ces Pygmées.

Des femmes pygmées sortent des huttes en dansant, avec tout un attirail. Elles vous entourent et, en quelques minutes, elles vous ont dépouillés de vos vêtements et mis des jupes de feuillages. Le visage peint, vous êtes prêts pour le… COMBAT !

Mais contre qui allez-vous bien vous battre ? Allez au chapitre 32.

25

MALHEUR ! La porte est verrouillée. Vous essayez de l'enfoncer, mais rien à faire. Vous entendez, derrière vous, les lions qui reviennent. Il y a une clé cachée entre les sculptures de la grande dalle de marbre, juste au pied de la porte… CHERCHEZ-LA !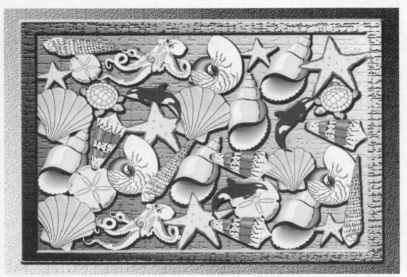

Si vous réussissez à la trouver, entrez dans la tour au cha-pitre 89.

Si elle demeure introuvable, TOURNEZ-VOUS, car les lions arrivent au chapitre 76.

26

Vous avancez maintenant entre les hautes mâchoires de pierre du rocher craquelé qui s'élèvent, chaque côté de vous, très haut dans le ciel. Est-ce l'érosion des glaciers, retirés il y a de cela des milliers d'années, qui a sculpté cette grosse tête de mort, ou est-ce l'œuvre des indigènes cannibales qui habitent toujours l'île ?

Un petit serpent venimeux s'enroule à la branche d'un arbre. Les racines de l'arbre s'enfoncent dans les longues fissures du rocher. Une partie pourrait s'écrouler à tout moment. Vous contournez tout ça avec d'infimes précautions. Vous progressez entre les versants du rocher jusqu'à l'entrée d'une grotte cachée par des branchages. Par terre, il n'y a aucune piste de bête, ce n'est donc pas une tanière d'animal.

À l'intérieur de la grotte, vous découvrez des lances, une peau de tigre et des pièces de vaisselle poussiéreuses. Les souvenirs d'un navigateur perdu, comme vous. Cette grotte fera un abri très convenable si jamais votre séjour devait s'éterniser. Vous le notez sur la carte.

Sur la paroi de la grotte, l'ancien proprio, habile dessinateur, a gravé dans la roche… D'ÉTRANGES SIGNES !

Allez au chapitre 36.

27

« OÙ EST MON CORPS ? demande la tête, les dents serrées. Par la barbe de ma grand-mère, est-ce vous, moussaillons, qui me l'avez piqué ?

— PI-PIQUER ? QUOI ? VO-VOTRE CORPS ? bafouilles-tu. Mais M'sieur pirate, nous n'avons rien touché, j'vous jure. »

Le pirate, incrédule, grogne. Vous reculez, et une main très froide se pose sur ton épaule. C'est le corps sans tête du pirate. Tu pensais avoir eu la peur de ta vie en voyant l'horrible tête du pirate, eh bien, c'est parce que tu n'avais pas encore vu son corps rongé par les vers et les asticots.

Sur le pont jonché de caisses et de débris de toutes sortes, vous jouez à colin-maillard avec le corps sans tête qui vous poursuit, sabre à la main, sous les instructions que lui crie sa tête suspendue au mât. Tu trouverais cette scène très drôle si ta vie n'était pas en jeu. Le corps sans tête coupe des cordages avec son sabre, CHLAC ! et un mât s'abat et vous barre la route, BLAM ! Vous vous penchez tous les trois pour évaluer la hauteur entre vous et la mer. C'est très haut, mais c'est tout de même mieux que de finir tranchés en deux.

Plongez tous les trois à l'eau et nagez ensuite jusqu'au chapitre 4.

28

L'air autour de vous se met soudain à tourbillonner, et les yeux de la jeune fille s'ouvrent…

Vous reculez d'un pas. D'un seul trait, elle bondit de sa tombe. Sa peau rosée se métamorphose, et des flammes bleues dansent sur tout son corps qui se couvre d'écailles. Elle jette un regard fulgurant en brandissant ses bras en l'air, comme pour s'étirer et sortir d'un très long sommeil. Ce monstre, issu des profondeurs, réclame du sang, des litres de sang !

Du regard, vous cherchez une sortie. Les deux statues qui se trouvaient à l'entrée se sont déplacées et bloquent maintenant toutes les issues. Vous vous tournez vers le monstre. Hypnotisés par ses yeux jaunes, vous sentez peu à peu votre désir de quitter les lieux en vitesse, de disparaître…

FIN

29

Les deux statues bizarres pointent leur trident dans votre direction !

N'écoutant que votre courage, vous faites un pas vers le temple. La statue prononce un mot :

« *GRSUURE !* »

Plus surpris qu'apeurés, vous en faites un autre. La statue prononce le même incompréhensible mot, mais en hurlant cette fois-ci :

« *GRSUURE !* »

Il semble que la voix est reliée à un mécanisme quelconque de détection des intrus. Vous faites un saut vers l'avant et la voix s'élève à nouveau :

« *GRSUURE !* »

Et, dans un grondement pareil au tonnerre, les deux statues quittent leur socle de marbre et foncent vers vous. Vous contournez les colonnes du temple en essayant de les semer. Les statues sont lourdes, mais très agiles. Vous parvenez tout de même à atteindre le drôle de petit bâtiment de pierres érigé au milieu du temple qui, cependant, ne possède pas... DE PORTE !

OH LÀ LÀ ! Allez au chapitre 97.

30

Les marins, assis dans leur chaloupe, tirent les chaînes du bossoir et descendent avec leur capitaine jusqu'à la mer. À bord, il ne reste plus que vous.

Tu fais le grand écart pour embarquer dans votre chaloupe, mais tu découvres, avec horreur, qu'il y a un trou de plus d'un mètre dans le plancher…

Lors de l'impact, le gluberg a éclaboussé toute la plage avant du navire du pont et a fait des trous partout, même dans votre embarcation. Vous hurlez au capitaine de faire demi-tour, mais les hélices du navire qui tournent toujours vous éloignent de toutes les chaloupes qui valsent déjà loin derrière vous sur l'océan.

L'aube se lève, mais le bateau sombre encore plus. Devant vous surgit du brouillard une île mystérieuse, répertoriée sur aucune carte. Vous vous croisez les doigts en espérant que le navire ne sombrera pas avant d'avoir atteint cette île au grand rocher en forme de crâne.

Le navire, qui voguait rapidement vers l'île, s'enfonce dans les hauts-fonds de sable et s'arrête brusquement. Tous les trois, vous êtes éjectés violemment et projetés dans l'eau…

PLOUCH ! PLOUCH ! PLOUCH ! *au chapitre 42.*

31

Passablement nerveux, vous réussissez à les contourner sans qu'elles ne vous voient.

Plus aucune présence dangereuse autour de vous. Vous filez en direction du temple. Peu à peu, le sol se fait spongieux sous vos pieds. On dirait des marécages ! Ils sont visqueux en plus. Embourbés jusqu'aux genoux, vous avancez péniblement. Pour lever votre jambe et faire un seul pas, il vous faut rassembler toutes vos forces. Au beau milieu du marécage, vous êtes tout éblouis par la beauté d'un zèbre qui traverse le grand étang coupé de joncs. Soudain, le bel animal s'enfonce rapidement et disparaît dans l'eau verte.

Vous surmontez votre terreur et poursuivez votre route, sans même changer de direction. Votre persévérance porte fruits, car un peu plus loin, vous parvenez à atteindre un sol solide où pousse une végétation dense. Entre les palmiers qui pointent vers le ciel, vous apercevez les piliers fissurés et à demi effondrés du temple tout de marbre.

Allez au chapitre 58.

32

Déguisés comme si vous alliez ramasser des bonbons un soir d'Halloween, vous êtes dirigés vers la sortie du village. Là, escortés par tous les Pygmées chasseurs, vous entamez une longue marche sur les dunes sablonneuses d'un désert. Les rayons du soleil sont accablants. Vous arrivez enfin à l'entrée d'une arène fortifiée, isolée au beau milieu du désert. Tu ravales ta salive bruyamment lorsque tu aperçois les portes : elles sont gigantesques. Il y a quelque chose du genre *King Kong* qui vous attend derrière celles-ci, c'est certain.

Quatre Pygmées actionnent un mécanisme fait de poulies de bois et de cordage, CRIC ! CRIC ! CRIC ! et les deux lourdes portes s'ouvrent. Dans l'arène, vous êtes éblouis par les coffres remplis de pierres précieuses, de colliers de perles et de pièces de monnaie luisantes. On dirait tous les trésors réunis dans un même endroit. De l'or de la caverne d'Ala Bibi au fric de Gill Bates, le multimillionnaire des jeux vidéo.

Juste comme vous alliez vous réjouir, un raclement terrifiant résonne dans toute l'arène, CRRRRR !

« GROGRO ! GROGRO ! » se mettent à hurler tous les Pygmées perchés tout autour de vous sur la haute muraille, faite de troncs de palmiers.

Allez au chapitre 41.

33

Leur chef neutralisé, les autres Pygmées s'enfuient en courant maladroitement au bout de leurs échasses.

Tu remarques que le chef porte à son cou un médaillon sur lequel il y a l'image d'un coffre aux trésors. Tu troques ta flûte contre son collier avec, en prime… SA VIE ! Ça, c'est une offre qu'il ne peut refuser.

Tu fais l'échange avec lui et tu le laisses filer. Jean-Christophe voudrait bien lui botter le derrière, mais sa sœur, Marjorie, le retient, car il ne faut jamais s'en prendre aux plus petits que soi, même si les plus petits que soi voulaient faire de vous leur prochain repas…

Tu ouvres le médaillon et découvres à l'intérieur un plan tracé sur un petit bout d'écorce. Vous le comparez à votre carte et découvrez exactement où il mène. Vous descendez rapidement du rocher et vous vous rendez à ce point indiqué, juste un peu à l'ouest.

C'est une clairière, au centre de laquelle il y a une grande marmite qui contient non pas des pièces d'or, mais bien de l'eau qui bouillonne avec quelques carottes. Autour de vous surgissent des dizaines de Pygmées, armés de sarbacanes à fléchettes empoisonnées. Ils gonflent leur poitrine et soufflent tous dans leur petit tube…

FIN

34

Dehors, les gorilles à tête de mouche s'agitent. Ils grognent et frappent sur le sol avec de gros gourdins. L'heure du repas vient de sonner et… C'EST LA DÉBANDADE DANS LE CACHOT !

Sachant bien que ça presse, tu prends tout de même quelques secondes pour examiner minutieusement la forme des deux clés, car tu sais que tu n'auras le temps d'en essayer… QU'UNE SEULE !

Laquelle choisis-tu ?

Tends le bras jusqu'au chapitre inscrit près de la clé que tu auras choisie, et essaie de la saisir…

40

72

35

Courir dans le sable, vous avez déjà essayé de faire ça ? Les fantômes, eux, flottent en l'air et vous rattrapent assez vite. De force, vous êtes escortés jusqu'au sous-marin. Le capitaine vous accueille à bord de son bâtiment de guerre. Il vous tend ensuite une carte et, d'une façon menaçante, exige que vous lui dévoiliez le lieu où se situe la base secrète américaine.

« La direction de quoi ? lui demandes-tu en gesticulant devant lui. Mais la guerre est finie depuis très long-temps…

— FINITO ! fait Marjorie devant les autres fantômes, qui se regardent, stupéfaits. FINI LES BOUMS ! BOUMS ! ET LES TACS-A-TACS ! »

À bord du sous-marin, c'est l'explosion de joie. LA GUERRE EST TERMINÉE ! Les fantômes vous prennent entre leurs bras transparents et vous font de gros câlins qui vous mettent mal à l'aise. Après toutes ces années sous l'eau, ils vont pouvoir se payer du bon temps. Sur la plage, ils prennent tous du soleil. Les premiers jours avec vos nouveaux amis se déroulent assez bien, sauf que… Avez-vous déjà rencontré des fantômes avec un coup de soleil ? Évitez-les ! Car ils sont d'humeur vraiment… MASSACRANTE !

FIN

36

Jean-Christophe avait tout compris depuis le début. Il y a incontestablement un trésor inestimable sur cette île. Les signes gravés sur la paroi le confirment. Cependant, les indications quant à son emplacement ne sont pas aussi claires.

Examine bien les signes. Crois-tu qu'ils t'indiquent d'aller au chapitre 51 ou 81 ? Rends-toi à celui qui, tu crois, est le chemin qui te conduira tout droit au trésor.

37

Tu fouilles nerveusement au travers des branchages, sans trouver de liane. La tête répugnante d'un ver apparaît au bord de la plate-forme de bois. Vous sautez de l'autre côté du tronc pour vous cacher dans la cabane en rondins.

À l'intérieur de la petite habitation, vous placardez la porte et bouchez toutes les issues. Dehors, les vers grattent le bois avec leurs longues pinces et essaient d'entrer. Tu as soudain l'impression d'être une pomme qui va finir transpercée par un ver. Tu chasses cette idée de ton esprit et cherches une façon de vous sortir de ce mauvais pas.

Dans une grande malle sont remisés masques de bois, pagnes de paille, lances pointues et crèmes de maquillage multicolores.

« Ça y est ! J'ai une bonne idée ! lances-tu à tes amis. Et puis, ça va nous changer de nos habituelles tenues vestimentaires. Enfilons tout ça et faisons-leur la guerre… »

N'écoutant que votre courage, vous ouvrez la porte et engagez le combat. Sur la plate-forme, vous vous jetez sur les vers comme des affamés.

À grands coups de lance, vous parvenez à vous frayer un chemin jusqu'au chapitre 50.

Le vieux voilier échoué des pirates est un choix judicieux, car qui dit pirates et flibustiers, dit aussi... BUTIN ! D'après la carte, il vous faut piquer au travers de la jungle sauvage de l'île pour vous y rendre. C'est la voie la plus rapide, mais c'est aussi la plus dangereuse.

Vous vous y engagez avec inquiétude. Entre les arbres et les hautes broussailles épineuses, vous progressez en jetant des coups d'œil nerveux au-dessus de vos épaules. Devant vous, un busard aux ailes sombres plonge la tête au fond d'une grosse carcasse de rhinocéros. Il réussit à arracher un morceau d'entrailles avec son bec dégoulinant et l'avale. Vous n'avez rien à craindre de ce répugnant oiseau rapace qui ne mange que des restes. Faites-vous plutôt du souci pour la créature qui a tué cet énorme et féroce rhinocéros.

Plus loin, derrière une rangée de beaux palmiers, vous distinguez avec soulagement la plage sablonneuse. Pas très loin du rivage, comme l'indique la carte, un grand voilier brisé en deux s'est échoué aux abords de l'île, il y de cela plus d'un siècle. La partie arrière du navire est immobile et presque complètement immergée. Les cordages et la mâture retiennent prisonnière l'autre moitié qui flotte toujours et qui se balance au gré de la houle de l'océan Horrifique.

Allez au chapitre 47.

39

Le gorille à tête de mouche a reçu ta flèche en plein cœur. Il se met à tituber et tombe sur les genoux. Vous regardez, abasourdis, la mouche battre des ailes et quitter ce corps de gorille poilu qui s'affaisse sur le sol. Au loin, la mouche s'envole en tournoyant.

BZZZZZZZZZZZZ !

« Qu'est-ce c'était que cette abomination ? demande Marjorie, dégoûtée. Vous avez vu ? C'est comme si cette mouche avait pris possession d'un corps de gorille et le contrôlait comme s'il s'agissait d'une vulgaire mécanique.

— Moi, je dis que c'est le champ magnétique que génère l'île qui est à l'origine de tout cela, commences-tu à expliquer à tes amis. Vous n'avez pas remarqué, mais nos montres se sont arrêtées lorsque nous avons mis le pied sur l'île, et cet avion, c'est curieux qu'il se soit écrasé juste aux abords du rocher en forme de crâne, vous ne trouvez pas ? Rappelez-vous les moteurs du paquebot, ils ont cessé de tourner juste comme nous approchions de l'île.

— Peut-être qu'un savant fou se livre à de la manipulation génétique, réfléchit Jean-Christophe. Ce monstre était peut-être le résultat d'un clonage, raté… »

Il y a là matière à réflexion… Allez au chapitre 100.

40

La paroi de la caverne est un petit peu trop éloignée. Tu peux toucher la clé avec le bout de tes doigts, mais tu es incapable de mettre le grappin dessus. Tu utilises une flèche pour ajouter à ta portée et tu réussis à la ramener vers toi. Dans la galerie principale de la caverne, les gorilles mutants s'amènent.

Tu insères vite la grosse clé dans la serrure, mais rien à faire… ELLE NE VEUT PAS TOURNER ! Tu remarques, tout à coup, une série de petits trous sur la branche creuse de la clé, comme une flûte. Tu portes le petit instrument à ta bouche pour en tirer quelques notes, et la serrure de la porte fait CLIC ! Elle vient de s'ouvrir…

Vous sortez et arrivez nez à nez avec les gorilles qui se tiennent la main et dansent. Vous regardez, tous les trois, la scène avec ahurissement. Cette flûte est magique ! Tu la ranges précieusement dans ta poche, et vous filez comme des boulets de canon vers un passage qui remonte, laissant derrière vous les gorilles à tête de mouche faire la fête.

La lumière du jour apparaît enfin au bout du passage qui débouche sur le sommet du rocher.

La vue est magnifique, mais ce n'est pas le moment de jouer aux touristes. Allez vite au chapitre 74.

41

Au centre de l'arène, un monticule de grosses pierres se matérialise en monstre gigantesque, gardien du trésor de tous les trésors. Grogro, c'est lui ! Une créature belliqueuse de quatre tonnes… PRÊTE À VOUS ÉCRABOUILLER !

Le combat débute au chapitre 91.

42

Une nageoire dorsale perce la surface de l'eau et vous force à nager comme des fous jusqu'au rivage de l'île. Étendus tous les trois dans le sable, vous essayez de reprendre votre souffle.

Devant vous, entre deux grands palmiers, gît la carcasse d'un petit hydravion rongé par la végétation. Il s'est écrasé ici, sur cette île, il y a très longtemps. Dans la cabine, vous découvrez les restes du squelette du pilote qui n'a pas survécu à l'écrasement. Dans la poche de sa veste safari, il y a un plan.

Vous le déroulez et remarquez qu'il s'agit d'une carte de Crânîle. Tu examines la carte en détail.

« Si j'ai bien compris, commences-tu à expliquer à tes amis, nous avons échoué sur Crânîle, et cet aventurier, paix à son âme, venait sur l'île pour y chercher un trésor.

— UN TRÉSOR ! répète Marjorie. Il n'y a même pas de X sur cette carte pour indiquer la présence d'un quelconque trésor caché.

— Regarde dans la soute de l'avion, lui montres-tu. Il y a des pelles, des pics et des grands sacs vides. Ce X, nous allons le trouver, mais il va falloir chercher sur toute l'île. »

Une chasse au trésor ! Ça va vous changer, vous, les Téméraires de l'horreur, de vos habituelles chasses aux fantômes. Allez au chapitre 4.

43

Ta flèche va se planter dans une des pattes du sanglier, qui s'en retourne d'où il venait en boitant. Tu n'as pas l'habitude de faire des bobos aux animaux, mais là, tu n'avais pas le choix. C'était une question de vie ou de mort, ta mort en plus…

Plus loin, vous arrivez en face d'une très vieille pierre tombale toute craquelée, érigée au beau milieu de la jungle. Qui a été enterré ici ? Elle est rongée par l'érosion, et la végétation la recouvre partiellement. Vous parvenez tout de même à lire l'épitaphe.

ICI GÎT MERCREDI, qu'il y est gravé. AMI DU NAUFRAGÉ.

Vous vous regardez tous les trois.

« J'crois qu'ils se sont trompés de nom, remarque Marjorie. Ou d'histoire… »

Au pied de la stèle sont aussi inscrites des indications sur l'emplacement d'un trésor caché sur l'île. OUAIS !

Vous soufflez sur les lettres pour enlever le sable. Malheureusement, la pierre tombale craque et tombe en mille morceaux…

Très déçus, vous repartez vers le chapitre 4 pour choisir une autre voie…

44

Au moment où vous vous dirigez vers le temple, **CRRRRRRR !** Un curieux raclement de pierres qui se frottent l'une sur l'autre se fait entendre. Vous vous arrêtez tous les trois et examinez le temple, car ce bruit ne pouvait pas provenir d'ailleurs…

Observe bien le temple ! Y a-t-il une différence entre cette image et l'image précédente ? Si tu crois qu'il y en a une, rends-toi au chapitre 29. Si tu penses, par contre, que c'est tout simplement votre imagination qui vous joue des tours, va au chapitre 96.

45

QUELLE GAFFE !

Tu viens juste de dire à l'empereur des poissons que tu avais une envie folle de manger… DU POISSON !

Il se dresse à nouveau sur son trône et entre dans une colère noire. Il fait ensuite tourner son sceptre devant lui comme une majorette, et vous fait enfermer tous les trois dans une espèce de cachot gluant, dans les plus profonds soubassements de la tour.

La lourde grille blanche se ferme toute seule derrière vous. Quel endroit dégoûtant ! Ça sent hyper mauvais ici. Et ce sol mou sur lequel vous avez peine à demeurer debout. Dégueulasse ! Au plafond, il y a un truc qui ressemble à un punching ball. Qu'est-ce que ça veut dire tout cela ? Ce décor qui vous entoure ne peut signifier qu'une chose : vous n'êtes pas dans un cachot, mais dans la bouche d'un énorme animal. Pas besoin de chercher de sortie : il n'y en a qu'une, et c'est l'œsophage qui conduit à son estomac. Résignés à votre sort, vous attendez, confortablement assis tous les trois sur sa grosse langue, que l'animal fasse… **GLOURB** !

FIN

46

Rapidement, vous vous habillez et enfilez votre veste.

Sur le pont, c'est la panique ! Les gens quittent le paquebot à pleines chaloupes. La moitié des lumières se sont éteintes, et la proue du bateau commence déjà à piquer du nez vers le fond de l'océan.

À la passerelle de navigation, le capitaine vous informe que cette nuit, à cause d'un orage magnétique, tous les instruments sont devenus fous, et le navire a dévié de sa course. Perdus au beau milieu du tristement célèbre triangle des Bermudes, nous avons heurté… UN GLUBERG !

« UN GLU QUOI ? demandez-vous, tous les trois, à l'unisson.

— Un gluberg est une masse flottante qui s'est détachée d'une île maudite appelée Crânîle, vous explique-t-il. À la différence d'un iceberg, les glubergs sont mous et peuvent dissoudre une coque d'acier de plus de 30 centimètres et faire un trou géant. Notre navire a à peine touché ce gros tas de gélatine, mais nous allons tout de même sombrer dans les abîmes… Regardez-le, ce salaud ! » vous montre le capitaine en pointant la mer derrière la poupe du bateau.

Vous vous penchez tous les trois à tribord pour regarder au chapitre 87.

47

Marjorie escalade un rocher et scrute la surface agitée de la mer. L'eau claire comme du cristal lui permet de bien sonder le secteur. Pas de nageoire dorsale de requins sillonnant cette partie d'eau entre le rivage et le navire, ni de méduses venimeuses. Vous vous jetez donc à l'eau et nagez vers le navire.

Soudain, sans que rien ne le laisse présager, un grand remous apparaît, et des vagues cinglantes vous frappent. Est-ce une tempête tropicale ? Non, car devant vous, un tourbillon d'eau s'élève hors de la mer et prend la forme d'une créature mi-femme, mi-pieuvre. Vous faites du sur-place quelques secondes en cherchant à savoir si ses intentions sont bonnes ou mauvaises. La créature transparente constituée uniquement d'eau salée et de bulles te sourit d'une façon méchante et fonce vers toi, tous tentacules devant. Va-t-elle réussir à t'attraper ?

Pour le savoir…

… TOURNE LES PAGES DU DESTIN.

Si cette créature bizarre t'englobe et t'attrape, rends-toi au chapitre 15.

Si, par contre, tu réussis à t'enfuir, nage vite jusqu'au navire qui se trouve au chapitre 3.

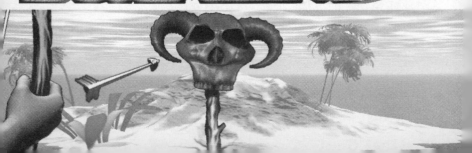

48

Vous vous retenez à un pilier lorsque la coque du navire émet un craquement sinistre.

CRIIIIIIII !

Est-ce que ce vieux navire va tenir assez longtemps pour que vous puissiez découvrir tous ses secrets ? En espérant que la chance soit de votre côté, vous poursuivez, comme des archéologues, la fouille méticuleuse de l'endroit.

Derrière une lourde porte, vous découvrez avec horreur les squelettes des prisonniers toujours enchaînés. Ils attendent, immobiles, la tête tombée sur le torse. Sans doute de pauvres diables torturés par ces pirates barbaresques. Accroché au plafond de la cellule, suspendu dans un filet de pêche, un petit coffre se balance dans le sens contraire du roulis du navire. Fous de joie, vous le décrochez. Il est lourd : il contient quelque chose, ça, vous en êtes certains. Les pentures et la serrure sont pas mal rouillées. Va-t-il s'ouvrir ? Pour le savoir…

… TOURNE LES PAGES DU DESTIN.

Si le coffre s'ouvre, allez au chapitre 101.

Si, par contre, il est verrouillé, rendez-vous au chapitre 71.

Pour former un carré et ouvrir le coffre, crois-tu qu'il faudrait faire glisser les plaquettes de bois vers l'intérieur en suivant cet ordre : A, C, D et B ? Si oui, va au chapitre 99.

Tu penses qu'il serait mieux d'essayer plutôt dans cet ordre-là : C, D, A, et B ? Rends-toi dans ce cas au chapitre 92.

50

Au centre du village, vous arrivez devant une fontaine dans laquelle flotte une statue affreuse de monstre à tentacules. La statue ballotte dans un étrange liquide. Son œil unique brille de mille éclats, comme une pierre précieuse.

Votre désir de richesse, plus fort que votre frayeur, vous pousse à vous en approcher. La statue penchée tourne dans le liquide, pointe son œil vers vous... ET S'ARRÊTE !

C'est un gros saphir ! Une pierre de cette taille-là va chercher entre les 100 et 120… CASSETTES DE JEUX VIDÉO !

Avec ta lance, tu réussis à déloger la pierre qui, cependant, tombe au fond du bassin de la fontaine, entre des cailloux. Cette eau brunâtre ne t'inspire pas confiance, mais tu y plonges le bras quand même.

Avant même que tu aies pu toucher le saphir, de curieux petits éclairs électriques entourent ton bras. Tu le retires vite de la fontaine, mais il est trop tard. Le bout de ton index change de couleur, et tout ton bras se met à se muer en tentacule. Tu as mal partout. Ton visage se crispe sous la douleur lorsque tes deux yeux se collent l'un à l'autre… POUR N'EN FORMER QU'UN SEUL !

FIN

51

Excités et certains de votre affaire, vous vous enfoncez profondément dans la grotte. Au fond, toutefois, il y a non pas un trésor, mais plutôt une rivière souterraine qui coule sous les roches jusqu'à une autre galerie. Vous plongez tous les trois, TRIPLE **SPLOUCH** ! et nagez au fond dans l'eau bleutée. Vous redoublez d'ardeur lorsqu'un banc de piranhas aux dents redoutables comme des lames de rasoir se lancent à vos trousses. La lumière diffuse de la galerie perce enfin la surface. Vous sortez de l'eau juste à temps. Ouf !

Vous contemplez maintenant avec crainte cette galerie aux dangereuses stalactites qui pendent partout au-dessus de vos têtes. Le soleil pénètre dans la galerie par un grand trou rond. Tu consultes la carte et constates que vous êtes dans l'une des orbites du rocher de la tête de mort. Soudain, vos pieds glissent sur le sol, et vous êtes irrésistiblement attirés tous les trois vers un gigantesque caillou rond situé au beau milieu d'un cratère… C'EST UN MÉTÉORE MAGNÉTIQUE ! Votre dos se colle à sa surface rugueuse, et vous êtes incapables de bouger le moindre muscle. Immobilisés de cette façon, vous n'avez d'autre choix que d'attendre que ce météore perde son champ magnétique… DANS ENVIRON 110 ANS !

FIN

52

Au moment où vous pensez avoir fui ces ignobles insectes, des dizaines de minuscules Pygmées peints en mauve, arborant des masques, tombent comme des fruits mûrs de la cime des arbres et vous encerclent. Tu te rappelles soudain le dessin sur la paroi de la grotte : il y avait des personnages masqués, comme ces Pygmées. Ils dansaient avec des lances autour d'un coffre aux trésors. L'un d'eux s'avance vers toi et te crie au visage :

« GROGRO !

— Euh ! Grogro ? » bafouilles-tu, sans trop comprendre.

Les autres vous menacent de leurs lances et répètent tous ensemble :

« GROGRO !

— Grogro quoi ? fait Jean-Christophe, qui n'a pas compris plus que toi.

— GROGRO ! hurle très fort un autre petit Pygmée. GROGRO !

— GROGRO MON ŒIL ! s'impatiente Marjorie. Ils commencent sérieusement à me tomber sur les nerfs avec leur Grogro. Que ces cannibales nous mangent, et qu'on en finisse une fois pour toutes. »

Voyant qu'aucune communication n'est possible, ils vous poussent, sous la menace de leurs armes, jusqu'à leur village, au chapitre 24.

53

Grogro fait tournoyer son lourd poing de pierre haut dans le ciel et le rabat vers vous. Tu fermes les yeux, même si ce n'est pas en te cachant derrière tes paupières que tu vas éviter de te faire aplatir comme une crêpe par ce monstre.

Tu attends la fin. Tout devient très silencieux autour de vous. Ce très lugubre silence ne peut signifier qu'une chose pour vous… VOUS ÊTES MORTS TOUS LES TROIS ! Eh bien ! Ce n'était pas si douloureux que ça de passer de vie à trépas…

Une brise légère souffle sur ton visage. Tu respires profondément, soulagé que cette foutue aventure soit terminée, même si elle ne s'est pas terminée comme vous l'espériez.

Vous ouvrez lentement les yeux. Vous êtes tout éberlués de voir que vous n'êtes pas des âmes vêtues de blanc en train de flotter parmi les nuages, mais que vous vivez encore. Devant vous, Grogro est toujours là, immobile et souriant. Il tient devant la bouche de Marjorie un microphone et lui demande, d'une belle voix d'animateur :

« MARJORIE ! DIS-MOI, QUEL EST TON POSTE DE RAAADIO PRÉÉÉÉFÉRÉ ? »

AAAALLEZ AU CHAPITRE 17.

54

Tu fermes les yeux et **TCHAC !** Le sabre vient se planter dans le coffre. Une chance que tu l'avais pour te protéger. Tu attends quelques secondes, puis tu ouvres un œil. Le sabre diabolique semble avoir perdu ses pouvoirs, car il ne bouge plus. D'un geste brusque, tu le retires du coffre et tu le jettes au loin.

CLANG !

Tu te mets à examiner ce petit coffre ciselé de perroquets et d'oiseaux exotiques. Il est lourd. Tu le brasses un peu, **CLOC ! TOC ! TOC !** OUAIS ! Il y a quelque chose dedans. Peut-être des doublons d'or valant une fortune. Tu vas être riche ! Cette perspective est très intéressante, mais tu ne sais pas comment il s'ouvre. Tu tournes le coffre de tous bords et de tous côtés.

« IL N'Y A PAS DE SERRURE ! cries-tu à tes amis. Il s'ouvre comment ? »

Marjorie et Jean-Christophe s'approchent et l'examinent avec toi.

« Pas de serrure ! Il ne peut donc s'agir que d'un coffre casse-tête de l'île de Madagascar, en conclut Jean-Christophe. Il faut faire glisser les petites plaques de bois dans un ordre bien précis et former un carré. Si nous réussissons, il s'ouvrira. »

Allez étudier la façade casse-tête du coffre en bois au chapitre 49.

55

Au sommet du rocher, une vue imprenable de toute l'île s'offre à vous : de la tour en forme de coquillage à l'épave du voilier, en passant par ce vieux temple, vestige d'Atlantis ressorti des profondeurs de l'océan, qui s'étend à perte de vue.

Vous jetez tour à tour un œil prudent dans les profondeurs des deux immenses et profonds trous, creusés à même le roc. Ce sont les orbites vides du rocher en forme de tête de mort. De l'une des orbites s'échappe une curieuse fumée, tandis que dans l'autre, un escalier en colimaçon, sculpté dans le roc, s'enfonce dans la pénombre. Vous choisissez la voie de la facilité et vous dévalez les marches. Tout en bas, vous trouvez une très grosse roche, parfaitement ronde sur laquelle semblent collés des doublons d'or, des lingots d'argent et des bijoux sertis de pierres précieuses…

Fou de joie, tu t'approches et tu essaies d'arracher quelques pièces, mais tu en es incapable. C'est comme si elles étaient collées au rocher avec de la *Super-glue*. Tu lèves la tête et comprends que ce rocher est en fait une grosse météorite magnétique venue de l'espace. Vous tombez sur un trésor d'une valeur inestimable et vous ne pouvez même pas prendre… UNE SEULE PIÈCE D'OR !

Allez au chapitre 65.

56

« Une seule goutte, s'il vous plaît, te supplie l'horrible abeille. Ça ne fait que chatouiller un peu.

— MON ŒIL ! t'écries-tu, en plaçant ta main devant toi. Pas question de faire des trous dans ma peau. »

Les mandibules de l'abeille s'allongent, et elle se jette sur toi, sans ton approbation. En te balançant à la corde, tu évites de justesse son gros aiguillon qui vient percuter violemment la paroi rocheuse et se brise, **CRAC !** L'abeille se met à pleurnicher et s'envole hors de l'orbite du rocher. Après ce léger contretemps mutant, tu jettes un œil dans le trou, et vous vous y engagez. Tu distingues quelque chose dans l'obscurité... Mais oui ! C'est un téléphone public : vous allez pouvoir contacter les autorités pour que l'on vienne vous secourir. Tu sors une pièce de ta poche et constates, à regret, que l'appareil n'accepte que des DOU-BLONS D'OR !

COMMENT ? QUOI ? Mais c'est COMPLÈTEMENT impossible...

Tu décroches tout de même le récepteur et tu le portes à ton oreille. IL Y A UNE TONALITÉ ! NON ! C'est le bourdonnement des autres abeilles mutantes de la ruche qui s'amènent vers vous...

FIN

57

Vous devez conjuguer vos forces pour faire bouger la lourde dalle. Devant le bâtiment, vous la poussez dans la cavité. La dalle pivote, tombe et s'enfonce seulement de moitié. ZUT ! Ce n'est pas la bonne. Vous essayez de la retirer, mais vous en êtes incapables. Jean-Christophe essaie encore une fois, mais ça ne sert à rien de bûcher dessus pendant cent ans, elle est coincée…

Vous vous regardez tous les trois, la mine déconfite.

« Fini le trésor ! soupires-tu. Pas de système de son super débile ni de cool vélo de montagne à suspension…

— Tu parles, quelle équipe de faiblards nous faisons, s'emporte Marjorie. Nous ne sommes même pas capables de terminer un casse-tête, c'est navrant…

— NULS ! que j'ajouterais, dit Jean-Christophe. Nous sommes complètement nuls… »

Tous les trois, vous continuez à vous taper dessus à coup de gros mots et d'insultes méchantes. Sachez bien qu'autant de pessimisme ne peut que brimer votre confiance en vous-mêmes, ainsi que vous conduire directement à la…

FIN

Sur une grande plate-forme rocheuse se dressent les

vestiges de ce qui était autrefois un temple majestueux. La construction, vieille de plus de 5 000 ans, porte partout des sculptures finement ciselées de coquillages et de poissons. Il y a aussi des traces d'algues séchées qui vous portent à croire que le temple était jadis… SUBMERGÉ ! C'est comme si ce temple gisait au fond de la mer, et qu'un cataclysme l'aurait carrément sorti de l'eau.

Approchez-vous tous les trois du temple en passant par le chapitre 44.

59

La flèche siffle et va se planter dans un arbre. **CHLAC !** C'EST RATÉ !

Le gorille à tête de mouche se jette sur vous avec férocité et vous saisit tous les trois avec ses grands bras velus. Comprimés les uns sur les autres, vous êtes traînés jusqu'à sa tanière, creusée à même le rocher, aux limites de la forêt. Là, vous êtes au bord de l'asphyxie. Toute une meute de gorilles mutants vous accueillent en se frappant le torse.

Au fond de la caverne sombre et humide, vous êtes tous les trois poussés dans une sorte de cachot aux barreaux de bambou. Le gorille à tête de mouche fait claquer la grande porte, **CLAC !** et la verrouille, **CHLIC !**

Jean-Christophe s'élance vers la sortie et se met à secouer la porte. **BLANG ! BLANG !** Rien à faire. C'est en bois, mais c'est aussi solide qu'une grille de fer. Dehors, les gorilles se sont regroupés autour d'un grand feu. Ça ne présage rien de bon pour vous.

Avec une flèche, vous essayez de forcer la serrure, mais **CLAC !** Elle se brise.

Vert de peur, tu te rends au chapitre 106.

60

« Enlève ce poignard de ta bouche, te supplie Marjorie, effrayée par tous ces dangereux pirates sans pitié. Je veux m'en retourner…

— NON ! te retient Jean-Christophe. Ces pirates naviguent vers Crânîle pour y cacher leur butin. Il faut rester avec eux. De cette façon, nous saurons avec précision où va être enterré le trésor. »

Du poste de vigie, en haut du grand mât, un des pirates hurle :

« VOILIER EN VUE ! »

Tu attrapes une lunette d'approche et tu la pointes à l'horizon. Il s'agit d'un redoutable vaisseau de guerre britannique lourdement armé pour lutter contre la piraterie. S'il vous aperçoit, non seulement votre plan tombera à l'eau, mais le bateau pirate aussi…

Est-ce que le marin posté à la vigie de ce navire de guerre va vous apercevoir ? Pour le savoir…

… TOURNE LES PAGES DU DESTIN.

S'il vous a vus, préparez vos canons au chapitre 85.
Si, au contraire, il n'a pas remarqué votre présence sur la mer, voguez jusqu'au chapitre 103.

61

MISÉRICORDE ! La clé est tombée…

Tu essaies désespérément de la ramener vers toi avec la flèche, mais rien à faire. Trois gorilles mutants apparaissent soudain devant la grille. L'un d'eux saisit la clé qui était tombée par terre et ouvre la porte, CHLOC ! C'était bien la bonne… De leurs mains poilues et puissantes, ils vous attrapent et vous expulsent du cachot.

« Ça y est ! murmure Jean-Christophe. Ils vont nous embrocher et nous faire cuire comme des petits poulets au-dessus d'un grand feu. »

Comme tu fais lorsque tu vas chez le dentiste, tu fermes les yeux jusqu'à ce que ce soit terminé.

Dehors, à l'entrée de la caverne, vous êtes tous les trois étonnés de voir qu'il y a non pas du feu, mais juste un bol rempli de bananes mauves, posé sur une table de rotin. Afin d'éviter quelque chose du genre incident diplomatique, tu en pèles une et tu prends une bouchée du fruit mou au parfum de Slush bleue. Très vite, des changements s'opèrent en toi, et tu te sens comme si des milliers d'aiguilles te perçaient la peau. Tu voudrais crier OUCH ! avec ta bouche, mais c'est un long *BZZZZZZ !* qui sort de ta trompe d'insecte.

FIN

62

Lentement, avec des gestes calculés, vous escaladez la paroi du rocher, en accrochant vos doigts de façon méthodique dans des fissures, et en posant les pieds sur des saillies. Juste en bas, c'est tout le contraire pour les fourmis. Très agiles, elles grimpent et courent rapidement à la verticale du rocher, comme elles le font sur la terre ferme.

Vous réussissez malgré tout à atteindre le sommet avant qu'elles ne vous attrapent. Devant vous, le gouffre de la bouche vous sépare de l'autre partie du rocher en forme de crâne. L'horrible visage de la première fourmi apparaît au rebord du sommet du rocher, juste derrière vous. Pris de panique, vous optez pour la seule solution qui s'offre à vous. Vous prenez votre élan et courez pour sauter de l'autre côté. Au moment où vous bondissez au-dessus du vide, trois fourmis volantes vous attrapent et vous ramènent au pied du rocher où attend maintenant toute la colonie.

Tu essaies d'entamer une discussion avec elles. Après tout, tu as une chance sur deux qu'elles te comprennent, car elles sont mi-humaines, mi-insectes. Mais l'instinct de la deuxième moitié l'emporte sur la première, et elles convergent toutes vers vous en faisant claquer leurs mandibules tranchantes.

FIN

63

Il campe ses deux petits yeux brillants dans les tiens, racle le sol avec son sabot, et fonce vers vous dans un grondement assourdissant.

Comme tu te lèves pour partir, ton pied s'enlise dans du sable mouvant et tu commences à t'enfoncer. Jean-Christophe et Marjorie tirent de toutes leurs forces. Dans un bruit de succion, SHHHH POP ! ils réussissent à te libérer.

Le rhinocéros est tout près. Sa défense, pointue et mortelle, n'est plus qu'à quelques mètres de vous. Tu plonges derrière un gros arbre aux racines tortueuses, emportant tes amis avec toi. Le rhinocéros freine, mais il s'enlise dans les sables mouvants. Ça va le ralentir, le temps que vous puissiez fuir.

Tu jettes rapidement un coup d'œil circulaire autour de toi. À 20 heures, comme dirait un pilote d'avion de chasse, il y a une forêt où les palmiers sont presque collés les uns aux autres : ce gros lourdaud de rhino ne pourra pas passer au travers.

Tu attrapes la main de tes amis et tu les tires cette fois-ci vers les palmiers au chapitre 95.

64

Le serpent de mer attrape ta flèche avec une agilité incroyable et l'avale. OUPS ! Là, vous êtes vraiment dans le pétrin. Avec les mains, vous vous mettez à ramer.

Avec l'énergie du désespoir, vous parvenez à vous éloigner pas mal. Loin derrière, le serpent plonge sous l'eau et disparaît. Tu cherches de tous les côtés en quête du moindre mouvement. Une ombre passe rapidement sous votre embarcation, et des bulles d'air arrivent à la surface, droit devant. Vous stoppez la coquille et vous vous mettez à ramer dans l'autre sens. Le serpent de mer surgit dans une gigantesque colonne d'eau et replonge à nouveau. Vous vous mettez à ramer vers la droite, et il réapparaît à deux mètres de vous. Il vous tient à sa merci ! Vous le savez, et il le sait aussi…

Cet horrible monstre, à la dentition très développée, va s'amuser comme ça avec vous, pendant de longues minutes, jusqu'à ce que sonne… L'HEURE DU DÎNER !

FIN

65

« J'AI UNE IDÉE ! s'exclame tout à coup Jean-Christophe. Si nous réussissons à ouvrir cette porte, CE TRÉSOR EST À NOUS ! »

Regarde bien le mécanisme qui sert à déverrouiller la porte.

Pour réussir à l'ouvrir, devrais-tu tourner la manivelle dans le sens des aiguilles d'une montre ? Si oui, rends-toi au chapitre 22.

Si tu crois cependant que tu devrais tourner la manivelle dans l'autre sens, va au chapitre 88.

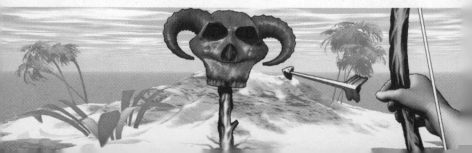

66

La curiosité l'emporte sur votre peur ; vous vous dressez sur la pointe des pieds et étirez le cou. De terrifiantes fourmis à tête humaine dévorent la carcasse d'un zèbre mort. Elles viennent de flairer votre présence. Elles se tournent vers vous...

… et se lancent à votre poursuite. Vont-elles réussir à vous attraper ? Pour le savoir…

… TOURNE LES PAGES DU DESTIN.

Si elles vous attrapent, allez au chapitre 62.
Si vous parvenez à vous enfuir, allez au chapitre 52.

67

Les gorilles mutants s'amènent en trombe. Vous courez vous cacher derrière trois gros stalagmites. La meute grouillante passe devant sans vous voir et se dirige vers le cachot. Ça va grogner fort lorsqu'ils constateront que vous avez pris la fuite.

Vous vous éclipsez par l'entrée pour finalement vous enfouir et disparaître dans la jungle. Vous vous contorsionnez pour passer entre les hautes herbes et les broussailles pleines d'épines, tout en étant aux aguets.

« Quoi ! Tu as vu quelque chose ? demandes-tu à Jean-Christophe, qui vient brusquement de s'arrêter.

— OUI ! chuchote-t-il. Je crois qu'un tigre vient de nous prendre en chasse. »

La peur s'empare de toi lorsque tu aperçois les rayures orange et noires du fauve au travers de la végétation.

« FAUVE DANGEREUX, CONFIRMÉ ! » souffles-tu à tes amis.

Jean-Christophe s'allonge aussitôt de tout son long et se met à ramper comme un lézard dans une autre direction. Marjorie et toi, vous l'imitez.

Les coudes tout égratignés, vous avancez longtemps dans cette position inconfortable jusqu'au chapitre 4. De retour à votre point de départ, tu vas te dire qu'au moins... VOUS ÊTES ENCORE EN VIE !

68

La lame tranchante sous ton menton fait trembler tes jambes terriblement. Tu avales bruyamment ta salive. Dans tes mains, le petit coffre s'ouvre tout seul. À l'intérieur, il y a une belle pomme verte toute fraîche. La pomme s'élève, elle aussi, dans les airs. Maintenant, c'est certain, il y a le fantôme d'un pirate qui se tient devant toi.

Des grosses bouchées sont croquées sur la pomme, **CROC ! CROC !** Les morceaux du fruit s'engagent dans l'œsophage du fantôme et vont flotter dans son estomac transparent.

C'est totalement dégoûtant, mais grâce à cela, Jean-Christophe et Marjorie savent avec précision où se tient le fantôme. Ils attrapent un baril de poudre à canon et le versent sur sa tête. Les contours noirs du pirate coiffé d'un tricorne apparaissent. C'est le capitaine ! Il entre dans une colère terrible et se met à hurler des ordres à son équipage fantôme. Autour de Jean-Christophe et Marjorie surgissent des poignards, des haches d'abordage et des mousquets. Tous les trois, vous êtes brutalement traînés par la meute fantomatique jusqu'au pont du navire où vous resterez solidement attachés et bâillonnés à un mât, jusqu'à ce que les corbeaux viennent dévorer… VOS YEUX !

FIN

69

Tes amis sont maintenant en sécurité sur la plate-forme de l'arbre voisin. À ton tour ! Jean-Christophe te renvoie la liane. Attention, elle arrive très vite. Tu essaies de la saisir, mais ta main passe dans le vide. C'EST RATÉ !

Elle balance maintenant entre les deux arbres, et vous êtes tous les deux incapables de la rattraper. Trois vers apparaissent au rebord de la plate-forme. Tu lances à ton ami une grimace épouvantée. Jean-Christophe casse une branche, accroche la liane et te la renvoie rapidement. Les vers sont presque à tes pieds. Tu sautes dans le vide et attrapes de justesse la liane qui te dépose juste à côté de tes deux amis.

Ouf ! Il s'en est fallu de peu.

Le ciel s'est assombri, est-ce la nuit ? Non, c'est une tempête tropicale qui s'amène. L'eau commence déjà à déferler sur le toit de la cabane. Vous vous réfugiez vite à l'intérieur, où il fait complètement noir. Les rafales de vent arrachent la porte.

CRAAAAC !

Un gros éclair zèbre le ciel et illumine une fraction de seconde… UN TERRIFIANT VISAGE À L'INTÉRIEUR DE LA CABANE !

Allez au chapitre 83.

70

Vous poussez la lourde dalle de marbre jusqu'au petit bâtiment. Là, vous la faites tout de suite pivoter dans la cavité et **BOUM !** Super ! Elle s'insère parfaitement.

CHHHHH ! Deux portes coulissantes s'ouvrent. On dirait un ascenseur ! Comment pouvaient-ils être aussi avancés à une époque þaussi reculée ? Cela vous mystifie.

À l'intérieur, vous cherchez des boutons, mais il n'y en a pas. Il ne peut donc être activé que par commande vocale. Ne connaissant rien du langage des créatures qui habitaient ce temple, vous entonnez tous les trois une chanson, en espérant qu'une note ou un certain timbre de voix mettra en marche le mécanisme.

Vous chantez comme ça, l'air complètement zinzin pendant presque une demi-heure avant que les deux portes ne daignent se fermer. OUAIS ! L'ascenseur descend ensuite plusieurs étages et ouvre ses portes à nouveau.

Deux hommes-poissons, bâtis comme des armoires à glace, pointent leur lance dans votre direction.

Chante un petit quelque chose et rends-toi ensuite au chapitre 79.

71

Malheureusement, il est verrouillé…

Jean-Christophe essaie de le forcer, mais c'est inutile. D'un geste de la main, il vous écarte. Ensuite, il lance violemment le coffre sur le plancher. Le petit coffre résiste… MAIS PAS LE PLANCHER ! CRAAAC !

L'eau s'engouffre par le trou, et l'épave coule très vite. La cale étant complètement submergée, vous nagez avec difficulté dans l'eau trouble entre les pièces de bois. Marjorie et Jean-Christophe réussissent à quitter l'épave par une écoutille. Tu essaies de les suivre, mais ta jambe s'entremêle de façon fortuite dans des cordages. Par réflexe, tu te mets à crier à tes amis, mais seulement des grosses bulles sortent de ta bouche.

Seul dans le ventre du navire, tu fais la guerre aux cordes de chanvre. Tes poumons commencent à manquer d'oxygène. De l'air emprisonné dans un coin te permet de respirer un peu. Tu prends quelques bouffées et tu replonges. À la surface, tes amis s'inquiètent. Ils reviennent près de toi et essaient de retirer ton pied du gros tas de nœuds. Une vague de fond fait tout à coup basculer l'épave. Le fond marin couvert de coraux bloque maintenant l'écoutille. Ce vieux navire deviendra, dans quelques secondes… UN TOMBEAU POUR TROIS !

FIN

72

La paroi de la caverne est un petit peu trop éloignée. Tu peux toucher la clé du bout des doigts, mais tu es incapable de mettre le grappin dessus. Jean-Christophe te passe une des flèches pour ajouter à ta portée.

Avec la précision d'un tireur d'élite, tu réussis du premier coup à la glisser dans le trou de la clé, qui se balance dangereusement sur la pointe de la flèche.

Maintenant, vas-tu être capable de ramener la clé vers toi, sans la faire tomber par terre ? Pour le savoir, ferme ton Passepeur, étend ton bras devant toi et pose ton livre DEBOUT dans ta main ouverte. ATTENTION ! Un geste brusque, et la clé tombe par terre, et c'est la catastrophe…

Si tu es capable de ramener le livre vers toi sans le faire tomber, tu es maintenant en possession de la clé. Ouvre la porte du cachot, et filez tous les trois jusqu'au chapitre 67.

Si, par contre, le livre tombe avant que tu aies pu réussir… MALHEUR ! La clé aussi est tombée sur le sol de la caverne. Va au chapitre 61, où les gorilles à tête de mouche s'amènent…

73

Plus loin, de l'autre côté de la rivière, des traces de pas d'animal, sans doute dangereux, vont dans toutes les directions. Ne songeant qu'au trésor, vous progressez tout de même, ignorant les menaces qui rôdent.

Le temps passe, et le soleil, qui trône au milieu du ciel bleu, finit par apparaître au fond de la faille où vous êtes. Il fait terriblement chaud. Des nuées de petits insectes volants tournent autour de vous, en quête d'une petite partie de votre peau. En marchant, tu reconnais un *yuccazy*. La sève de cette plante aux feuilles géantes éloigne les insectes. Vous brisez quelques branches et vous vous enduisez de la sève jaunâtre. Ensuite, avec quelques feuilles, vous vous fabriquez des chapeaux pour vous protéger de la chaleur. Ce n'est pas esthétique, mais c'est pratique…

Au moment où vous reprenez votre route, des pas rapides et nerveux se font soudain entendre, juste devant vous.

POUM ! POUM ! POUM ! POUM !

D'un signe de la main, tu stoppes net tes amis. De quelques mètres devant vous proviennent les bruits sinistres de prédateurs, cachés au pied d'un arbre immense, en train de dévorer leur proie…

Allez voir au chapitre 66.

74

Vous avancez vers le rebord du rocher pour évaluer la hauteur du précipice. Tu te penches vers l'abîme, mais ton pied déloge un fragment de pierre, et vous vous retrouvez tous les trois pendus à un rocher, pas très stable, il faut l'avouer.

Tes doigts glissent de la pierre l'un après l'autre. Lorsqu'il n'en reste qu'un seul, une multitude de petites mains peintes en bleu vous attrapent tous les trois et vous tirent hors du gouffre. OUF ! Pas tout à fait, car devant vous se dressent des Wygmées. Ces géants de trois mètres, qui portent des masques et de longues jupes de paille, ont les dents bien aiguisées, comme tout bon cannibale qui se respecte.

Pas question de vous laisser croquer sans au moins une bonne bagarre. Jean-Christophe fonce comme un taureau vers celui qui porte un ridicule chapeau de plumes. C'est le chef. Il réussit à le renverser, et le Wygmée tombe sur le derrière.

Vous découvrez derrière sa longue jupe de longues échasses de bambou. Ces Wygmées ne sont que de petits Pygmées juchés sur des échasses pour paraître encore plus menaçants auprès de leurs ennemis…

Allez au chapitre 33.

75

… UN GROS VER BLANC !

Il s'enroule à ton poignet et darde ses longues pinces vers ton visage. Affolé, tu tournes le bras aussi vite que l'hélice d'un hélicoptère. Le gros ver lâche ton poignet et tombe au pied de l'arbre où l'attend le crocodile, qui n'en fait qu'une bouchée. Les branches se mettent à frissonner, et d'autres bananes éclatent.

POUP ! POUP ! POUP !

Des dizaines de vers dégoûtants tombent et se tortillent sur le sol. En bas, le crocodile essaie de s'enfuir, mais les vers l'encerclent et lui sautent dessus. En seulement quelques secondes, ils l'ont tout dévoré. Les vers ne sont toujours pas rassasiés. Ils abandonnent le crocodile, qui n'est plus qu'un vulgaire tas d'os, et se mettent à grimper à l'arbre en quête de dessert…

Dans d'autres arbres, il y a des centaines de cabanes juchées sur les branches : un vrai village. Sauter d'un arbre à l'autre ? Impossible ! Il faudrait que vous réussissiez un bond prodigieux. Mais comment se déplaçaient les indigènes qui habitaient ce village suspendu ? En se balançant d'une liane à l'autre, bien sûr…

Il y a certainement une liane qui pend entre les branches et les troncs des arbres. Va voir au chapitre 84.

76

Agenouillés, tous les trois, vous essayez de trouver la clé. Il y a plein de signes étranges sculptés sur cette dalle, mais il n'y a pas l'ombre d'un quelconque objet ressemblant à une clé. Les lions sont juste derrière toi. Tu peux sentir leur haleine fétide qui souffle dans tes cheveux. Lentement, vous vous relevez. Ils sont seulement à quelques centimètres de vous. Tu récites tout bas une prière, car tu sais bien que de voir un lion d'aussi près est souvent synonyme de funérailles. Les deux gros félins retroussent leurs babines et pointent leurs crocs gluants vers vous.

En voulant se coller sur son frère, Marjorie pose le pied sur un bas-relief de la dalle représentant une tortue. Comme un bouton, en appuyant dessus, la tortue s'enfonce et actionne un mécanisme.

La dalle pivote, et vous tombez dans une grande pièce sombre. Le plancher recouvert de paille amortit votre chute. Un gros objet se déplace lentement vers vous… C'est une tortue géante carnivore.

Vous filez vous blottir dans le coin. La tortue fait demi-tour et se dirige encore vers vous. Vous changez de coin, elle change de direction. Vous aurez beau courir comme des lièvres, elle finira bien par vous attraper…

FIN

77

Un de ses conseillers s'approche et lui murmure quelque chose dans l'oreille. L'empereur sourit et fait ensuite tournoyer son sceptre au-dessus de sa tête.

« Sed sima ? Eunevneib snad nom emuayor ! », vous répond l'empereur des profondeurs.

Les gardes, postés à l'entrée, ouvrent toutes grandes les portes, et une procession de musiciens arrivent, en jouant de leurs instruments conçus avec de gros coquillages de toutes sortes. Cette fête est pour vous, chers visiteurs venus de très loin.

Une très belle sirène aux cheveux d'or suit les musiciens et chante une mélodie plutôt mélancolique. Sa voix est si perçante que Marjorie et Jean-Christophe se bouchent les oreilles avec leurs petits doigts.

Même si c'est intolérable, toi, tu écoutes attentivement, car sa chanson… PARLE DE TRÉSOR !

« Snad al ehcuob ed al engatnom ne emrof ed enârc es evuort nu dnarg rosért », chante la sirène.

As-tu réussi à décortiquer les paroles de sa chanson ? Si oui, tant mieux pour toi, car maintenant, tu sais où se trouve le fameux trésor…

Retournez au chapitre 4 choisir une autre voie.

78

« Attendez ! cries-tu à tes amis. Je crois que nous devrions en choisir une autre… »

Mais il est trop tard. Ils ont déjà plongé tous les deux dans l'eau. Tu regardes, horrifié, les grandes dents de requin qui entourent la porte, et constates que la porte est en fait une grande mâchoire. Il n'est pas question de les laisser se faire bouffer par un quelconque prédateur des mers. Tu plonges, toi aussi, pour les sortir de là.

SPLOOUUCH !

Tu nages et cherches autour de toi. Marjorie et Jean-Christophe sont tout au fond de l'eau et admirent la flore sous-marine et les milliers de petits poissons qui se déplacent, en troupe, en faisant les mêmes gestes gracieux et les mêmes mouvements.

Par des signes, tu essaies de leur expliquer qu'il faut retourner vers la porte. Soudain, les yeux de Marjorie s'écarquillent de frayeur, et un tas de bulles sortent de sa bouche, grande ouverte.

Les petits poissons s'enfuient, et derrière vous apparaît une longue silhouette bleue, silencieuse… À LA MÂCHOIRE PLEINE DE DENTS POINTUES !

FIN

79

Non, cette fois-ci, pas de chance ! L'ascenseur ne se remet pas en marche. Vous leur balbutiez quelques explications, mais bien entendu, ils ne comprennent pas un traître mot de ce que vous essayez de leur dire.

Sous la menace des armes effilées des hommes-poissons, vous êtes escortés jusqu'à une immense grotte souterraine. Là, assis tous les trois dans un très grand coquillage, vous êtes poussés à la dérive d'un grand lac et donnés en sacrifice à leur divinité... LE MONSTRE DU LAC !

Au centre du lac, de grands tourbillons apparaissent autour de votre embarcation, et la tête terrifiante d'un serpent de mer jaillit de l'eau. Ses yeux luisent comme des braises, et sa mâchoire gigantesque peut, d'une seule bouchée, faire des Téméraires de l'horreur... UN SOUVENIR !

Tu charges ton arc de ta plus grosse flèche et tu vises le monstre. Vas-tu réussir à l'atteindre ? Pour le savoir...

*... **TOURNE LES PAGES DU DESTIN** et vise bien.*

Si tu réussis à l'atteindre, allez au chapitre 98.
Par contre, si tu l'as raté, rendez-vous au chapitre 64.

80

Le rhinocéros se met à brouter. Vous contournez un marais, sautez par-dessus de dangereux sables mouvants et déguerpissez en direction de la tour.

Après une heure de marche, elle apparaît enfin au-dessus de la cime des arbres. Au pied du grand coquillage, deux lions terrifiants gardent l'entrée. Vous n'avez jamais vu de lions aussi gros, même au zoo. Leur langue pend de leur grande bouche pleine d'incisives. Est-ce parce qu'ils ont chaud ou parce qu'ils ont faim ? Tu jettes un regard par-dessus ton épaule. Marjorie est terrifiée et elle se cache derrière ton dos.

« Il faut trouver une façon d'éloigner ces deux fauves, te dit Jean-Christophe.

— Oui, mais comment ? lui demandes-tu. On ne peut tout de même pas lancer un bout de bois dans la jungle pour qu'ils courent nous le rapporter.

— Presque ! » te répond ton ami.

Il ramasse une roche et la lance au loin. Alertés par le bruit, les lions se dressent sur leurs pattes velues. Jean-Christophe lance une autre roche encore plus loin, et les deux lions partent dans la jungle…

ET VOUS ? Eh bien, courez vite vers l'entrée de la grande tour au chapitre 25.

81

Toi, le Robinson Crusoé de Crânîle, tu as de la chance. Car en plus d'avoir réussi à lire correctement les signes sur la paroi, tu as, non pas un, mais deux Vendredi avec toi, Marjorie et Jean-Christophe, qui vont t'aider à trouver ce trésor…

Vous sortez de la grotte pour continuer à explorer la grande faille du rocher aux allures terrifiantes de crâne humain. Pendant une heure, vous marchez, guidés par l'écho de quelque chose comme une rivière d'eau fraîche et limpide.

Au centre de la bouche, derrière une rangée de haies chétives et desséchées, vous apparaît une rivière verdâtre crachée du sol par un petit volcan. Ce dégoûtant liquide semble provenir directement de l'estomac de la terre. De la lave verte ! Jamais vu ça.

Il vous est impossible de l'enjamber ou de sauter par-dessus, car elle est trop large. Et pas question non plus de mettre les pieds dans cette *dégueulasserie*…

Vous devez fabriquer un pont avec des gros bambous afin de vous rendre sur l'autre rive, au chapitre 73.

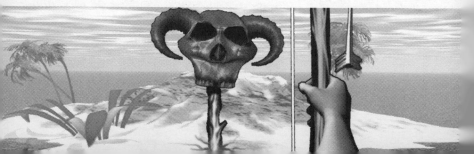

82

Vous sortez tous les trois de la galerie et constatez qu'il s'agit non pas de neige, mais bien de pétales blancs qui tombent des arbres en fleurs.

C'est tout simplement féerique et beaucoup plus beau que le jardin botanique de Sombreville. Mais cette beauté peut cacher d'autres graves dangers. Alors, avec un long bout de bambou flexible, une petite liane et quelques branches, vous confectionnez un arc et des flèches que vous avez pris soin de bien aiguiser sur une roche.

Vous consultez la carte de Crânîle. Nulle part il n'est fait mention de cette forêt aux si jolis arbres. VOUS VOUS ÊTES ENCORE PERDUS !

Marjorie monte sur les épaules de son frère pour voir au loin. Il n'y a que des arbres en fleurs, mais cependant, elle aperçoit juste à temps… un gros sanglier noir qui fonce vers vous ! Tu le mets en joue avec ton arc. Vas-tu réussir à l'atteindre ? Pour le savoir…

… TOURNE LES PAGES DU DESTIN et vise bien.

Si tu fais mouche, allez au chapitre 43.
Par contre, si tu l'as raté, allez au chapitre 90.

83

C'est un gnome abominable !

Il se lève d'un seul trait, ouvre une trappe dans le plancher et s'engouffre dans le tronc vide de l'arbre. Dehors, la tempête redouble d'ardeur. Vous vous tenez tous les trois. L'arbre penche dangereusement et se met à craquer.

CRAAAC !

Il est sur le point de s'effondrer ! Vous soulevez la trappe et descendez maladroitement l'échelle, à l'intérieur du tronc qui vous conduit des mètres sous terre. Vous entendez soudain un **BLAM !** terrible. C'est l'arbre qui vient de tomber sur le sol.

Ici-bas, il fait encore plus noir qu'en haut. Vous tâtonnez, à l'aveuglette, la paroi humide qui vous dirige vers une porte solide. Tu essaies de soulever le loquet. La porte va-t-elle s'ouvrir ? Pour le savoir…

… TOURNE LES PAGES DU DESTIN.

Si elle s'ouvre, allez au chapitre 18.

Si, par contre, la porte est solidement verrouillée, rendez-vous au chapitre 7.

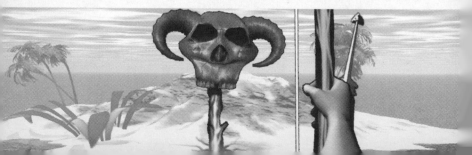

84

Où se trouve cette liane qui te permettra de t'enfuir jusqu'à l'arbre voisin ? Observe bien cette image…

Si tu crois qu'elle se trouve à gauche de l'arbre, va au chapitre 37.

Si tu penses qu'elle se trouve plutôt à droite, rends-toi au chapitre 69.

85

Le navire de guerre tourne la barre et arrive droit vers vous. Tu enlèves tout de suite le poignard de ta bouche pour retourner dans votre futur, mais rien ne se produit. Tu le remets entre tes dents et l'enlèves à nouveau... TOUJOURS RIEN ! Tu examines le poignard, en cherchant à comprendre. Sur le manche est gravée une date... D'EXPIRATION !

« QUOI ! te mets-tu à crier. Ce poignard est... EXPIRÉ ! Ce n'est pas vrai ! Tout ceci n'est qu'un cauchemar, et je vais me réveiller... »

Marjorie est terrifiée. Elle se penche à tribord et observe le bateau anglais qui s'approche en faisant feu de tous ses canons.

BRAAAAAOUOOOUM !

« OK ! ça suffit, dit-elle en se retournant vers toi. Je voudrais voir le G.O. de ce Club Med, c'est pour une plainte. »

Des centaines de gros boulets noirs déchirent les voiles, abattent les mâts et percent la coque du voilier pirate, qui coule. Assis tous les trois dans une vulgaire chaloupe de sauvetage, vous ramez comme des fous. Un tir précis, décoché par un canonnier anglais, envoie un boulet faire un gros trou en plein au centre de votre embarcation.

FIN

86

Une hyène tourne lentement la tête vers vous. Tu t'arrêtes et campes ton regard dans le sien. Elle émet un petit hurlement, et toutes les autres se retournent vers vous.

Vous vous précipitez en direction du temple, avec toute la meute d'hyènes à vos trousses. En courant comme vous n'avez jamais couru, vous parvenez, au prix d'efforts inouïs, à vous mettre à l'abri à l'intérieur du temple. Les hyènes font quelques tours autour des ruines et repartent dans la jungle. Tu t'essuies le front et tu reprends ton souffle.

Beaucoup de colonnes fissurées du temple se sont effondrées. La construction, vieille d'au moins 5 000 ans, porte partout des sculptures finement ciselées de coquillages et de poissons. Il y a aussi des traces d'algues séchées qui vous portent à croire que le temple était jadis… SUBMERGÉ !

Vous l'examinez attentivement, et découvrez qu'il a été effectivement érigé par des mains palmées de créatures qui vivaient… SOUS L'EAU !

Rendez-vous au chapitre 13.

Vous examinez avec stupeur la grosse masse de glu qui dérive à la mer, sans doute à la recherche d'un autre bateau à couler.

« Jamais plus je ne participerai à ces stupides concours à la radio, se promet Marjorie. Si je n'avais pas gagné cette croisière, nous ne serions pas dans cette situation désespérée.

— Ce n'est pas de ta faute, essaies-tu de la réconforter. Et puis, nous ne sommes pas en si mauvaise posture que ça. Nous allons abandonner le navire avec les autres passagers, et dans quelques heures, un autre bateau va venir nous cueillir et nous prendre à son bord. »

Avec le capitaine, vous quittez la passerelle pour aller vers les deux dernières chaloupes de sauvetage, au chapitre 30.

88

La manivelle fait un demi-tour et fige dans la rouille. Vous vous mettez à trois pour essayer de la ramener dans l'autre sens, mais rien à faire… ELLE EST COINCÉE !

La mine déconfite, vous regardez le trésor en pensant à tout ce que vous auriez pu vous acheter. Résignés, vous remontez l'escalier en direction du sommet. À mi-chemin, vous vous accordez une pause, afin de reprendre votre souffle. Juste au-dessus de votre tête, vous remarquez qu'une corde poisseuse pend d'un trou assez grand pour vous y glisser.

Tu te hisses jusqu'à l'ouverture et tu sondes la noirceur. Rien en vue, mais il y a ce curieux bruit de machinerie.

BZZZZZZZZZ ! Le bourdonnement se fait plus audible. Lorsque tu tends l'oreille, une abeille géante à tête humaine fait irruption du trou et se met à te survoler de tous les côtés.

« DU SANG ! PAR PITIÉ, DU SANG ! crie-t-elle entre ses mandibules. DU SANG ! »

Rends-toi au chapitre 56.

89

Les lions s'amènent !

Tu glisses la clé dans le trou de la serrure, et tu la tournes. Une fois, deux fois, trois fois. Est-ce la bonne ? Oui, parce que cette tour est barrée à quadruple tour. Tu la tournes une dernière fois, et la porte s'ouvre enfin. Comme des fusées, vous foncez à l'intérieur et refermez derrière vous. Dehors, les deux lions rugissent.

GROOOOOUUUUU !

Dans le hall d'entrée, magnifiquement décoré de coraux de toutes sortes de couleurs, une petite silhouette encapuchonnée vous accueille et vous guide silencieusement vers l'escalier qui monte en colimaçon. Par curiosité, vous la suivez, en jetant des coups d'œil à l'extérieur par les ouvertures pratiquées dans le grand coquillage. Autour de l'île, c'est la mer à perte de vue.

Au sommet de la tour, un personnage à l'air sombre et cruel, coiffé d'une grosse tête de poisson séché, se dresse sur son trône, entouré de toute sa cour.

Allez au chapitre 19.

RATÉ !

Vous roulez tous les trois sur le côté pour éviter d'être réduits en bouillie par ses deux longs crocs recourbés. Le sanglier vous manque de très peu. Il poursuit un peu sa course et essaie de freiner lorsqu'il aperçoit l'entrée de la galerie. Trop tard ! Il tombe dans le trou.

Avec précaution, vous vous approchez de l'embouchure de la galerie. Le sanglier se met à grogner de rage. Il tourne en rond et frappe à répétition sur les parois de roche, avec sa tête aussi dure que du fer.

Vous souriez, car vous l'avez encore une fois échappé belle. Cette chance incroyable que vous avez, va-t-elle rester avec vous tout au long de votre périple ? C'est une question qu'il faudrait vous poser tout de suite, car le papa et la maman sangliers sont derrière vous, et ils respirent très fort par leurs deux naseaux…

FIN

91

La mâchoire vous tombe lorsque vous voyez ce monstre s'approcher de vous d'un pas lourd.

BRAOUUM ! BRAOUUM !

Comment faire rendre gorge à une créature de pierre ? Du haut de la muraille, les Pygmées vous jettent une épée faite de bois, une lance et un bouclier d'écorce. Vous sautez sur les armes, en sachant que, dans le fond, elles ne peuvent pas grand-chose contre ce gros lourdaud. Vous reculez jusqu'à la muraille en quête d'une cachette. Autour de vous, il n'y a que ce foutu trésor de malheur. C'est à cause de lui que tu te trouves dans une si mauvaise posture. Ta soif de richesse va probablement te coûter la vie...

D'un bond en arrière, tu évites de justesse le gros pied du monstre de pierre qui vient frapper le sol. Dans un élan de courage, tu serres les dents et tu martèles de coups la jambe de Grogro, en espérant que ton épée fera son œuvre. Mais, comme prévu, la simple lame de bois n'a aucun effet et s'effrite à chaque coup que tu portes. D'une simple chiquenaude, Grogro brise la lance que Jean-Christophe dardait vers lui. Il ne reste plus que le bouclier que tient fébrilement Marjorie devant elle. Vous vous cachez derrière, en espérant un miracle.

Faites vos prières avant d'aller au chapitre 53.

92

L'une après l'autre, tu fais glisser les plaquettes, mais tu ne réussis pas à former un carré. Du coffre jaillit soudain une étrange fumée. Effrayé, tu le laisses tomber, BLAM !

La fumée tournoie comme une mini-tornade et t'entoure. Tes pieds quittent le plancher. Tu essaies de t'ancrer à une des poutres du navire, mais ta main rencontre le vide, et tu te mets à tourner sur toi-même. Des picotements douloureux traversent ton corps, et la tornade te transforme… EN PERROQUET !

Marjorie et Jean-Christophe sont éberlués. Tu t'envoles dans l'entrepont et reviens te percher sur le coffre pour faire une nouvelle tentative. Avec ton gros bec recourbé, tu fais glisser les quatre plaquettes, mais encore là, sans arriver à former ce foutu carré…

Le même manège se produit, sauf que cette fois-ci, tu es métamorphosé en requin marteau. Pas de bras, pas de bec, tu ne peux plus jouer avec ce coffre maudit et essayer de retrouver ta forme humaine. Ta grande bouche ouverte à la recherche d'eau, tu agonises. Pour que tu puisses demeurer en vie, tes amis n'ont d'autre choix que de te jeter à la mer, par une écoutille.

FIN

93

Avant même que vous ayez le temps de plonger, trois longs tentacules gluants vous saisissent et vous tirent vers la troisième porte. Tu réussis, dans un ultime effort, à t'agripper au sol. Le puissant tentacule serre très fort ta cheville. Tu essaies de résister, mais c'est peine perdue ; la pieuvre t'entraîne inexorablement vers l'eau.

Derrière vous, la porte projette des rayons aveuglants, et puis se ferme. Sous l'eau, vous combattez désespérément. Tu réussis à te défaire de l'emprise du tentacule qui te tenait la jambe, mais malheureusement, un autre colle ses dégoûtantes ventouses autour de ton bras. Dans tes poumons, l'air commence sérieusement à manquer. Tu tires de toutes tes forces et réussis, encore une fois, à te dégager. Un troisième s'enroule à ton cou. Ça ne finira donc jamais !

Vous allez faire tout votre possible pour vous sortir de là. Mais le hic dans cette histoire, c'est que la pieuvre possède huit tentacules et vous, vous n'êtes que trois.

NON ! Ce n'est vraiment pas juste…

FIN

94

À l'autre bout de l'entrepont, il y a l'escalier qui descend à la cale du navire. Pour vous y rendre, vous devrez marcher sur le plancher craquelé qui menace de se briser à tout instant. Si une seule planche se brise, il y a de fortes chances que toute la carcasse fragile du navire s'abatte sur vous…

Examine bien cette image. Pour vous rendre à l'escalier, allez-vous marcher sur les planches 1, 2, 4, 5, 7 et 8 ? Si oui, allez au chapitre 23.

Vous voulez plutôt poser les pieds sur cette autre combinaison de planches : 1, 2, 3, 5, 6 et 8 ? Allez, dans ce cas, au chapitre 102.

95

En sécurité parmi les palmiers qui vous protègent, vous apercevez le rhinocéros qui regarde de tous les côtés et qui, finalement, s'éloigne en poussant un long grognement de défaite. Maintenant, il faut retrouver votre route. Mais comment faire ? Vous avez couru dans tous les sens et vous ne savez pas où vous vous trouvez. Vous consultez la carte. Malheureusement, elle ne fait pas mention de cette forêt aux palmiers très rapprochés. Tu lèves la tête et aperçois, au loin, la tour en coquillages blancs, qui pointe au-dessus de la cime des palmiers. Vous avancez, et, au milieu d'une clairière, la tour s'élève très haut dans le ciel comme un gratte-ciel de New York. Qui peut bien habiter cette curieuse habitation ?

Vous frappez à la porte une fois, deux fois… Pas de réponse ! Marjorie ose tourner la poignée faite avec un nautile.

« Holà ! Il y a quelqu'un ? » demande-t-elle, en ouvrant la porte.

Personne ne répond, sauf l'écho de sa voix. Le hall majestueux du grand coquillage est entièrement décoré de trucs provenant de la mer. Des coquilles de palourde, des oursins figés et secs et même des mâchoires de grand requin blanc.

Allez au chapitre 16.

96

Vous cherchez du regard la provenance de ce bruit. Vous ne remarquez cependant rien qui pourrait être un danger imminent pour vous.

Vous gravissez les quatre marches du temple pour vous retrouver à l'intérieur. Ce temple devait autrefois être d'une splendeur à couper le souffle. Maintenant, il n'est plus qu'un tas de débris, qui ne pourrait intéresser que les archéologues, captivés par l'histoire d'Atlantis, la cité engloutie.

En plein centre, sur une dalle de marbre zébré de rainures vertes, il y a de curieux petits signes sculptés. Vous ne comprenez pas cette langue, mais vous pouvez tout de même conclure que certains de ces signes étranges… PARLENT DE RICHESSE !

Au prix d'un effort colossal, vous parvenez à soulever la lourde dalle portant les inscriptions. En dessous, pas de trésor ! Mais vous êtes tout stupéfaits de voir une très belle jeune fille blonde aux doigts palmés… QUI DORT !

Allez tout de suite au chapitre 28.

97

Vous faites le tour trois fois sans trouver de porte. Par terre, taillées dans le marbre, il y a des marques de pieds… PALMÉS !

Tu mets les deux pieds dans les cavités, et deux portes coulissantes s'ouvrent, SHHHHH ! Vous sautez juste à temps à l'intérieur, car les deux statues arrivaient. Autour de vous, vous sentez que ça bouge. Ce petit bâtiment est en fait une cage d'ascenseur qui vous amène à des centaines de mètres sous terre. L'ascenseur s'arrête, d'une manière très abrupte, CHLONC !

Un mince filet d'eau s'infiltre par le point de jonction des deux portes. VOUS ÊTES SOUS L'EAU !

Vous prenez une très grande inspiration, et les portes s'ouvrent, SHHHH ! L'eau salée pénètre dans l'ascenseur par grandes vagues. Devant vous, c'est le fond de l'océan avec ses coraux, ses algues… ET SES REQUINS-SCIE !

Vous nagez comme des fous en direction de la surface, pour éviter d'être coupés en deux par ces menuisiers des profondeurs. Tu sors la tête de l'eau, et qu'est-ce que tu aperçois…

… LE CHAPITRE 4 !

98

Ta flèche transperce les écailles du serpent, qui se désintègre en milliers… DE PIXELS !

Apparaissent soudain devant tes yeux de grosses lettres jaunes t'annonçant que tu as gagné la partie.

« QU'EST-CE QUI SE PASSE ? » Le technicien t'enlève le casque qui recouvrait complètement ta tête.

« YAHOUUU ! Ce jeu virtuel en 3D est tout simplement sensationnel ! dis-tu à tes amis qui enlèvent, eux aussi, leur casque. QUELLE AVENTURE !

— C'est tellement réel qu'on se croirait sur Crânîle ! commente Marjorie.

— On refait une autre partie ? » suggère en souriant Jean-Christophe.

Plonge la main dans ta poche.

Si tu as de l'argent dans tes poches, tu peux poursuivre ton aventure au chapitre 4 et essayer d'atteindre… LA VRAIE FINALE DU LIVRE !

Si, par contre, tu n'as pas un rond, DOMMAGE ! Pour toi, c'est la…

FIN

99

Les quatre plaquettes forment un carré parfait, et le petit coffre s'ouvre. À l'intérieur, tu es tout déçu de constater qu'il n'y a aucune pièce d'or, et seulement un vulgaire poignard. Question de rigoler, tu le places entre tes dents comme faisaient les pirates de l'époque. Soudain, comme par magie, des tricornes de pirate apparaissent sur vos têtes, et tout se met à changer autour de vous.

Qu'est-ce qui se passe ? L'entrepont du navire, qui était tout en désordre, ne l'est plus. Les toiles d'araignées ont disparu, et les canons qui étaient tout rouillés brillent comme des sous neufs. Tu enlèves le poignard de ta bouche, et l'entrepont redevient dans l'état délabré qu'il était. Tu le remets entre tes dents, et tout devient impeccablement propre. C'est à n'y rien comprendre…

Vous montez sur le pont et constatez que vous êtes loin des côtes et que le navire vogue sur la mer. Ce poignard enchanté est comme une machine à voyager dans le temps. Lorsque tu le mets entre tes dents, il vous transporte à l'époque où ce grand voilier sillonnait les mers et pillait les navires marchands.

Tous les pirates te saluent, car tu es… LE CAPITAINE KIDD !

Allez au chapitre 60.

100

« C'est beaucoup trop dangereux par ici, en conclut Marjorie. Peut-être devrions-nous fabriquer un radeau et quitter cette île maudite avant qu'un savant débile ne joue avec nous comme avec un vulgaire jeu de construction pour enfant. Tu peux me croire, si nous rentrons à la maison, chacun avec une tête de maringouin, maman et papa ne seront pas contents, dit-elle à son frère Jean-Christophe. Nous serons en punition pour l'éternité, et l'éternité… C'EST LONG !

— Et le trésor, lui ? On l'oublie ? lui demande-t-il, en lui montrant la carte.

— Il n'y a rien qui prouve qu'il y a un trésor sur cette carte, réplique-t-elle. Tu ne fais que supposer qu'il y en a un.

— Tu crois que cette carte a été dessinée pour les touristes ? essaie-t-il de lui faire comprendre. Une vieille carte d'une île perdue comme celle-ci, pour moi, ça veut clairement dire : trésor enfoui pas très loin. »

Jean-Christophe examine ensuite la carte et pointe un sentier emprunté par des animaux sauvages. Il conduit à la bouche du grand rocher en forme de crâne...

... *au chapitre 26.*

IOI

Lentement, tu ouvres le petit coffre. À l'intérieur, il y a un vieux papier jauni plié en six. Marjorie le déplie délicatement.

« Qu'est-ce que ça veut dire ? demandes-tu à tes amis. Il n'y a qu'un X sur ce papier.

— C'EST LE X QUI MANQUE SUR LA CARTE ! » hurle de joie Marjorie.

Toi et Jean-Christophe, vous examinez le papier et sortez ensuite la carte de Crânîle. Ça ne peut pas être autre chose puisque les deux sont de la même dimension. Vous posez le papier sur la carte et vous les soulevez vers le soleil. Comme par enchantement, le X se place sur la carte.

Compare ce bout de papier à la carte du chapitre 4 et emprunte le chapitre qui, tu crois, te conduira au trésor.

102

Marjorie et Jean-Christophe retiennent leur respiration. Toi, tu croises les doigts et poses les pieds doucement sur la première planche. Elle grince, **CRRRRR!** mais ne brise pas. Tu lèves l'autre jambe et tu la déposes sur la deuxième. Merveilleux, elle aussi est assez solide pour soutenir ton poids.

Tes amis t'imitent en posant les pieds exactement au même endroit. Comme si vous étiez dans un champ de mines explosives, vous progressez vers l'escalier. Juste à deux mètres du but, une planche **CRAAAAQUE**, et ta jambe s'engouffre dans le trou jusqu'à ton genou. Tes amis veulent intervenir, mais toutes les planches qui se trouvent autour de vous cèdent, **CRAAC! CRAAAC! CRAAAAAAC!**

Ensuite, dans un grand fracas, **BRAOOOUUUM!** une partie du plancher s'affaisse sur le pont d'en dessous, puis sur l'autre, jusqu'à ce que vous vous retrouviez dans la cale encombrée du navire.

Assis, vous faites le mort quelques secondes, pour éviter de casser autre chose. Autour de vous, quelques boulets de canon roulent à tribord et à bâbord et suivent le rythme de la mer qui fait toujours tanguer le bateau.

Tourne doucement les pages de ton livre Passepeur jusqu'au chapitre 107.

103

QUELLE CHANCE ! Les marins anglais ne vous ont pas vus, et le grand navire poursuit sa route.

Les vents vous sont favorables, et trois heures plus tard, le bateau-pirate jette l'ancre tout près de la côte de Crânîle. Un gros coffre, rempli de doublons d'or et de pierres précieuses volées sur un galion espagnol, est débarqué par les pirates sur le rivage. Avec tout l'équipage, vous traversez la jungle jusqu'à la bouche du grand rocher en forme de tête de mort. C'est là que le coffre va être enterré dans le sable. Un des pirates saisit le manche de ton poignard pour marquer d'un gros X l'écorce d'un palmier. Tu voudrais hurler, NON ! mais le poignard a déjà quitté ta bouche, et vous revenez tous les trois dans votre bon futur, à l'entrepont de l'épave. Jean-Christophe te sourit, et avec raison, car vous savez maintenant où se cache le trésor.

Au moment où vous arrivez sur le pont de l'épave, une tête sans corps, suspendue au grand mât par ses longs cheveux, vous fait sursauter. Sans doute un pirate déca-pité pour ses crimes. Lorsque tu essaies de la contour-ner… SES YEUX S'OUVRENT !

Crie très fort : « OOOOOOOUAAH ! » et va ensuite au chapitre 27.

104

Vous sautez de joie en l'apercevant.

« LA MARINE VIENT POUR NOUS SAUVER ! » hurles-tu, en gesticulant des bras.

Mais votre bonheur est de courte durée, car vous apercevez un super gros trou dans la coque. C'est un vieux sous-marin tout rouillé qui a coulé lors de la Deuxième Guerre. Le tas de ferraille continue d'avancer en raclant le fond marin, attiré par la météorite magnétique, **CRRRRRRR** ! Lentement, il va se coller sur elle.

BLAM !

Le périscope se met tout à coup à tourner. Il scrute lentement le rivage de Crânîle… ET S'ARRÊTE SUR VOUS !

Des écoutilles s'ouvrent ensuite, et les visages hagards des fantômes de sous-mariniers allemands apparaissent. Tout l'équipage de revenants se lance à votre poursuite. Vont-ils réussir à vous attraper ? Pour le savoir…

*… **TOURNE LES PAGES DU DESTIN.***

Si ces répugnants fantômes agrippent ton chandail et t'attrapent, rends-toi au chapitre 35.

Si, par contre, vous réussissez à vous enfuir, courez jusqu'au chapitre 8.

105

Derrière toi, le sabre revient. Tu gravis, deux à la fois, les marches de l'escalier jusqu'à l'entrepont. Le sabre suit ta trace comme un missile autoguidé. Tu zigzagues entre les canons pour essayer de le semer, mais rien à faire, il te poursuit toujours. Tu t'arrêtes net et tu attrapes la première chose qui te tombe dans les mains pour t'en servir comme bouclier. C'EST UN PETIT COFFRE !

Ce n'est vraiment pas le temps de te réjouir de ta trouvaille. PROTÈGE-TOI ! Lève les bras et place le coffre devant toi.

Vas-tu réussir à parer la deuxième attaque du sabre ? Pour le savoir, ferme ton livre, place-le devant toi, comme s'il s'agissait du coffre... ET NE BOUGE PLUS !

Si tu as devant les yeux l'image de Crânîle, tu as réussi à te protéger du sabre qui vient de se planter dans le coffre. Va au chapitre 54.

Mais si par contre, tu as devant toi le résumé du livre, MALHEUR ! Le sabre a réussi à contourner le coffre pour venir se placer... JUSTE SOUS TON MENTON ! Au chapitre 68.

106

Marjorie te tape sur l'épaule, passe son bras entre deux barreaux pour pointer du doigt les deux grosses clés, accrochées à la paroi de la caverne. C'est certain que l'une d'elles va vous sortir d'ici, mais laquelle ?

Tu examines la forme du trou de la serrure…

… et tu la compares à la forme des deux clés du chapitre 34.

107

Parmi les barils de poudre, de rhum et les sacs de provisions périmées depuis très longtemps, il y a un grand coffre recouvert d'un drapeau noir. C'est un pavillon de pirates. Il représente un démon qui transperce un cœur rouge avec un sabre. Autrefois, ces vieux bouts de tissu étaient destinés à effrayer les marins ennemis. Aujourd'hui, ils continuent encore à inspirer la peur, et ce, même après des siècles.

À trois, vous ouvrez le coffre et découvrez à l'intérieur un passage qui conduit à une cabine cachée. Autour d'une table, quatre squelettes immobiles portent des chapeaux tricornes et trinquent ensemble. Son navire en perdition, le capitaine pirate s'est réfugié dans cet abri avec son état-major jusqu'à ce que la mort arrive. Vous vous approchez. Attachée à la ceinture de tissu usé du capitaine pirate pend une petite bourse de cuir sur laquelle tu devines les contours de doublons d'or. Lorsque tu tires sur elle, le bras du pirate portant un couteau se rabat et coupe une corde de chanvre qui elle, actionne un levier, qui dégage un boulet qui lui, frappe et brise un vase de porcelaine rempli d'eau qui se déverse dans une coupe qui, une fois remplie, s'enfonce dans la table et actionne des petits canons qui font feu sur vous…

FIN

« Et le trésor ? demande Marjorie. Tout cet or et cette argenterie ?

— DU TOC ! lui montre le producteur. Tout est en vulgaire plastique. Les pièces de monnaie, elles, par contre, contiennent du chocolat. Tu en veux ? » lui demande le producteur en lui offrant un coffre plein…

C'est difficile à croire. Marjorie saisit une pièce et l'ouvre. À l'intérieur, il y a bien du chocolat. Vous vous regardez tous les trois, encore sous l'effet de la surprise.

Le marionnettiste appuie sur quelques boutons de sa console et fait avancer le grand robot Grogro vers Marjorie.

« Alors Marjorie, lui demande le monstre mécanique en présentant à nouveau son micro, tu vas dire à tous nos auditeurs qui nous écoutent, en direct, QUELLE EST TA STATION DE RAAADIO FAAAVORITE ? »

Marjorie pense à ce trésor perdu et à toute cette supercherie quelques secondes, puis répond :

« JEPJR ! Parce que, voyez-vous, **J**e n'**É**couterai **P**lus **J**amais la **R**adio… »

FÉLICITATIONS !
Tu as réussi à terminer…
Naufragés sur Crânîle.

LES HISTOIRES DE PEUR,
ÇA T'EMPÊCHE DE DORMIR ?

Prends ça cool et
bidonne-toi un peu avec
les pages à...

MOURIR DE RIRE

Une mutante à 32 yeux dit à son ami, lui aussi un mutant à 32 yeux :

« Pourquoi as-tu été si long à te préparer ? Nous allons être en retard pour le début du film.

— J'ai perdu mes lunettes et j'ai dû mettre mes verres de contact. »

Un zombie raconte à un autre :

« Mes dernières vacances avec ma blonde ont vraiment été fantastiques. Nous nous sommes beaucoup amusés sur la plage. Elle m'a enterré dans le sable, je l'ai enterrée à son tour. J'y retourne l'été prochain pour la déterrer. »

Dans le musée abandonné de la ville, c'est soir de vernissage, car une araignée artiste… EXPOSE SES TOILES…

Les grands titres de plusieurs journaux affichaient une mise en garde plutôt bizarre ce matin : ATTENTION ! Un extraterrestre rose prénommé Momo, ayant huit bras, mesurant 1 mètre et sentant les œufs pourris a été aperçu près d'un boisé au nord de la ville. Si jamais vous arrivez face à face avec lui, ÉVITEZ DE RIRE !

Un petit loup-garou assis sur les genoux d'un père Noël loup-garou :

« Et toi, demande le père Noël loup-garou, qu'est-ce que tu désirerais recevoir pour Noël ?

— Un petit chaperon rouge ! » répond le jeune loup-garou.

Une sorcière entre chez un dermatologue.

« Docteur, implore la sorcière, il faut que vous me débarrassiez de cette verrue qui trône sur le bout de mon nez, si je veux un jour espérer me trouver un petit copain.

— Voilà madame, dit le médecin, en lui remettant un petit tube. Mettez-en deux fois par jour. C'est une crème à base de fleurs.

— À BASE DE FLEURS ! répète la sorcière. POUAH ! » fait-elle, dégoûtée...

Un squelette très malade arrive chez un médecin :

« Docteur, supplie le squelette, la mine pâle. Faites quelque chose, j'ai un de ces maux de ventre !

— Levez-vous, demande le doc, que je voie ce que vous avez mangé ! »

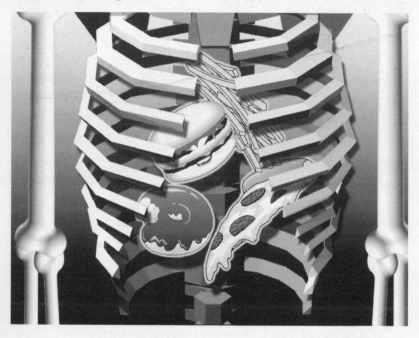

Bigfoot n'est plus une légende. En effet, Bigfoot, le monstre hyper poilu mesurant plus de trois mètres, a été retrouvé par une jeune fille de huit ans aujourd'hui, qui l'a ramené chez elle. Interviewée par les journalistes, elle a ensuite demandé à ses parents :

« J'peux le garder ? »

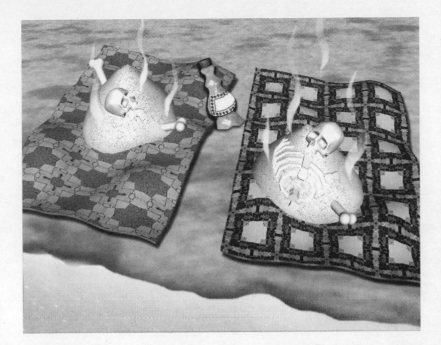

Arrivent sur une plage deux vampires :

« T'as rien oublié, j'espère ? demande le premier.

— Oups ! Oui ! fait le second vampire. LA CRÈME SOLAIRE… »

PSSSSSSSSSSSSSSSS !

Le monstre du Loch Ness, la tête hors de l'eau, dit à sa femme :

« CHÉRIE ! s'écrie-t-il. Vite, regarde, il y a un homme qui marche sur le bord du lac.

— Où ça ? Où ça ? fait-elle, en tournant la tête de tous les côtés.

— Trop tard ! répond le monstre. Il est parti… »

Pendant un voyage à Paris, un homme invisible arrive au pied de la tour Eiffel avec sa femme et ses enfants.

« Collez-vous l'un contre l'autre, leur demande-t-il, nous allons faire une photo... »

Le monstre de Frankenstein entre dans un *fast-food*. Il s'immobilise devant une caissière, figée par la peur, et demande avec sa grosse voix :

« Je voudrais avoir un hamburger avec un hamburger et un autre hamburger. »

Blanche comme un drap, la jeune caissière lui demande :

« Un hamburger avec cela ? »

Une bande d'asticots qui déambulaient dans un cimetière rencontrent un rat grassouillet.

« Tu connais un bon restaurant italien, toi ? demande un des asticots au rat.

— Troisième tombe à droite », répond le rat.

Un petit gnome revient de l'école, en pleurnichant à sa mère.

« Maman ! maman ! se plaint-il. Les autres enfants se moquent de moi. Ils disent que j'ai un gros nez.

— Mais c'est complètement faux, essaie de le réconforter sa mère. Va prendre ton drap et mouche-toi, là. »

Une momie, invitée plus tard à une grande soirée, arrive au comptoir d'une pharmacie avec trois caisses de sparadraps. La caissière, confuse, lui demande :

« Vous achetez tout cela, monsieur ?

— Oui, mais avant, demande la momie, vous avez une salle d'essayage ? »

Deux chauves-souris, accrochées à une branche, discutent, tête en bas.

« Et puis toi, ça va ? demande la première.

— Ah non, avoue la seconde. Depuis que mon mari m'a quittée, j'suis toute à l'endroit... »

Qu'est-ce que dit un fantôme lorsqu'il oublie ses clés chez lui, et que la porte de sa demeure se referme ?

Réponse : « Maintenant, je suis dans de beaux draps ! »

Quelle est la différence entre un fantôme et un revenant ?

Lève-toi cette nuit et... DEMANDE-LEUR !

Ha ! Ha ! Ha ! Ha !

VOICI POUR TOI
D'AUTRES AVENTURES
REMPLIES...
DE CAUCHEMARS !